成为你的美好生活

I 知人
 cons

胶囊式传记　记取一个天才的灵魂

爱伦·坡

有一种发烧叫活着

EDGAR ALLAN POE | THE FEVER CALLED LIVING

[美]保罗·科林斯 I 著　　王青松 I 译

上海文艺出版社
Shanghai Literature & Art Publishing House

献给戴夫·埃格斯，
给了我作家生涯的第一桶金

目录

1　幸运之子

几十年来，每个 1 月 19 日的晚上，巴尔的摩一处墓地都会出现一位神秘的访客：身披黑衣，脸上罩着礼帽和围巾，站在标有"埃德加·爱伦·坡最初埋葬地"的石头前，为爱伦·坡生日祝酒，离开时留下一瓶白兰地和三支玫瑰。没人知道他是谁。这个传统在 2009 年终止了，据说这个"给坡敬酒的人"过世了。不过好奇的旁观者和记者们仍旧密切关注着那片墓地，每年仍有冒充者继续着这一致敬活动，而这些冒充者也经常发现有其他祝酒人已在当晚先于他们来过墓地。一切都很符合剧情，古墓、午夜、神秘访客、假身份，以及无法破解的谜。大家都认为，坡本人对此肯定乐见其盛吧。

但要真正理解坡——这位侦探小说之父、恐怖小说大师、批评家、小说家、诗人、悲情艺术家——你最好将视线从墓地的幢幢鬼影中移开，去关注一位《巴尔的摩太阳报》记者的观察记录。在那里，而不是在久经风霜的墓碑间，才有这位精力充沛、勤奋工作的作家的真实生活。坡的声誉不仅来自于他的悲剧生涯，而是越乎其上：这是一位严谨的语言巨匠，他对艺术认知的全心奉献，经常被他生活中的各种戏剧性所遮蔽。

埃德加·爱伦·坡出生于一个艺术家必须为生存而苦拼的年代。祖父大卫·坡是独立战争中巴尔的摩的一位伟大爱国者。父亲与祖父同名，但他没有追随为其铺设的法律工作，而是投入了舞台事业。1806 年，他娶了充满戏剧血液的伊丽莎·阿诺德为妻——一对英国演员的孩子，她九岁登台，十四岁随父母美国巡演时成了孤儿。伊丽莎凭其歌喉和舞蹈闻名远近，经常担任专门为美貌、磁性的年轻女演员量身定做的女主角，仅莎翁剧作里的角色就有朱丽叶、苔丝狄蒙娜、爱丽儿和考迪莉娅。一尊现存的浮雕小像显示，这是一个娇美的女子，披着一头长长的黑色卷发，神情困惑迷离，有位剧院资助人称赞她是"戏剧王冠上那颗闪耀的钻石"。

大卫在舞台上显然不如她，几乎没演过主角，只是在波士顿和纽约的剧院里卖力地跑些龙套，惊慌失措时甚至说不清台词，他演过的最大角色或许就是伊丽莎的丈夫。结婚时她十九岁，刚离异的她丝毫没耽误就组建了新家庭。他们的三个孩子在 1807、1809 和 1810 年相继出生：亨利、埃德加和罗莎莉。

舞台生活始终跌宕不定。就在埃德加 1809 年 1 月 19 日降生后的第二天晚上，大卫就回到了波士顿剧院的舞台。

又仅仅过了三周，"坐完月子"的伊丽莎也重返舞台。这轮"为了坡夫人的收益"的演出，立即赢得了波士顿观众的支持。当时的剧院充斥着这样的演出文化——查阅波士顿的当月报纸，会发现同时有为了坡夫人、佩恩少爷、斯托克韦尔和巴纳德先生、巴恩斯夫妇，以及沃瑟尔小姐的生计而演出的系列——是艺术家们为生存打拼的常规模式的一份证明。

夫妻俩为不可或缺的金钱四处奔波，无暇顾及埃德加。埃德加出生未满一个月，就和他哥哥亨利一起，被送到巴尔的摩由祖父母抚养。六个月后，他再次回到纽约的父母身边，但这个新家并不幸福。曼哈顿的各家报纸都对吐字含糊又结巴的那位夫君不留情面：一个评论家蔑称大卫·坡长着"一张松饼脸"，并无情地给他起了个绰号"Dan Dilly"，因为他念错了一个叫"Dandoli"的角色名。随后的两年，大卫·坡不幸被批评者击倒，愚蠢地自暴自弃起来：他开始暴躁，酗酒，随后抛妻别子。没有缓解的迹象，也不可能有，不久便悄无声息地死掉了。

他丢下了刚出生的体弱多病的罗莎莉，那是她妈妈在弗吉尼亚的一连串走穴演出后生下的——而且不久坡夫人也病倒了。1811 年 11 月，里士满一份当地报纸写道："大家熟知的美丽女子，坡夫人，不幸重病在床，并（由于和丈夫闹分手）陷入困境。"一位访客回忆说，孩子们"瘦骨伶仃、面色苍白，哭闹不休"，一位老保姆正用鸦片酊剂和浸泡过杜松子酒的面包呵斥他们安静下来。不久，《里士满询问者报》上登载了又一则不详的慈善义演公告："坡夫人缠绵病榻，孩子们绕床而立，请求诸位援手，这也许是她的最后一次。"

公告一点不夸张。一个月后，大家就看到乐善好施的里士满富商约翰·爱伦和妻子弗朗西丝正在一位朋友的种植园里度圣诞假期，雪地里一摇一晃走在他们身边的，便是一脸困惑、新近由他们收养的小孤儿埃德加。

眼下，正如他一个姑姑写的那样，他是"真正的幸运之子"。

坡生于艺术世家，却由商人家庭收养，埃德加·爱伦·坡的姓名与他后来从事的事业，恰好显示了这一互不相干的家庭出身。伊丽莎·坡是戏剧界的才女，约翰·爱伦则是零售业的巨子。在埃利斯＆爱伦公司位于里士满的干货库房里，各类货品一应俱全，从乐谱到煤铲，从"房间门锁"到窗户玻璃，以及成堆的"高纺绒面呢和凯塞米尔短绒大衣呢"。

养父爱伦出生于苏格兰，1795 年由一个美国人领养并移民美国，那是个性格坦直而务实的商人。一位同代人曾说爱伦"相当粗俗缺乏教养"，但他也的确拥有一些相对优雅的品质。像许多勤劳刻苦的商人一样，他没能上大学却对文化抱着既羡慕又蔑视的双重姿态。"天哪！要是能有他那样的才华，我愿放弃一切！"他曾经这般议论莎士比亚。幸存下来的埃利斯＆爱伦公司六百十五卷商业函件表明，他没有多少时间去实现这一梦想。但是在他殷实的家中拥有一些显示文化品位的摆设：从没缺过莎士比亚，也从没少过昂贵的《利斯百科全书》，以及放在客厅的钢琴。

爱伦父子俩在孩提时代同为被领养的孤儿。三十一岁的约翰已成为里士满受人尊敬的商人，却膝下无子——至少他那十分虚弱的妻子弗朗西丝未曾生养。也正是在弗朗西丝的强烈要求下，他们收养了小埃德加。于是在1812年的爱伦家庭账目上，显露出为人父母的一些蛛丝马迹：在良马、桶装白兰地等购物订单中，夹杂着儿童衣物，小儿哮喘诊疗费，以及购买一张儿童床的列支项。

曾经的访客都回忆说，埃德加是"一个可爱的小家伙，黑黑的卷发，明亮的眼睛，穿得像个小王子"。可他只是个贵胄身份不明确的小王子，约翰并没有正式收养他——或许是想着坡的亲戚会提出抚养要求，因为他们之前领走了坡的哥哥亨利和妹妹罗莎莉。但是一周周，一月月，一年年过去后，文档记录中出现了一个新名字：埃德加·爱伦。1815年8月，当约翰·爱伦奔赴伦敦开办分店时，与他同行的就有他的妻子和这个活泼的六岁男孩。在爱伦报告到达消息的信件里，坡的声音第一次跃然纸上。

"埃德加说，'爸，帮我也说几句吧，'"爱伦在给商业伙伴的信中略带迷惑地写道，"'就说我不怕坐船。'"埃德加很享受这三十四天的海上航行，哪怕他的家人显然备受晕船的折磨。

爱伦一家到达伦敦时，距离 1812 年战争结束和拿破仑投降只有几个月时间。他们发现，大英帝国虽债务累累伤兵满营，却依然不失旧日和平盛世的优雅姿态。正是在这里，在新大英帝国的中心，埃德加度过了自己最初的童年时光。爱伦在那年万圣节前夕的一封信里，透露了埃德加的第一抹真容。他写道，全家人围坐在客厅"暖和的炉火边"，夫人做着针线活，"埃德加在读一本故事书"，——也许是《水手辛巴达》或《杰克与豌豆秸》[1]，这两个故事都在当时出了儿童版。不看书的时候，埃德加就逗妈妈的鹦鹉玩，那只鹦鹉已经在一家人教导下会背诵字母表了。

然而，这样欢乐恬谧的时光并不长久。埃德加被送去寄宿学校读书，在学校里，他是一名七岁的外国小孩，在一片陌生土地的陌生屋檐下睡觉，醒来在一群更加陌生的人群中吃饭。他拼了命想逃离那个地方，曾徒步走回伦敦。有段时间，他的一个堂兄不得不紧跟着他，防止他逃跑。

然而，他爱一个人看那本《英语拼写手册》，尽情享受语言之美。课本都是设计来灌输当时的伦理规范的，里面有这样诱导式的对话，如："我们穷人不应该吃白面包，小

1　水手辛巴达的故事是阿拉伯民间故事《天方夜谭》的一部分，杰克与豌豆秸的故事是一则英国民间童话故事。

姐"。但那本教科书同样是浪漫主义极盛期的产物，会包括一些最早期的练习，会如此怪诞可爱地描绘一只死去的苍蝇："啊！它死了。它死了有一段时间了。那翅膀，你看，像细纱，它的头似黄金似珍珠，可最明亮的还是那眼睛！苍蝇的眼睛不能转动，因此它的眼睛多得你都数不过来，它们能看清周围的所有。苍蝇的眼睛就像雕花玻璃。"再后面，这本书还给大家讲了一个故事，说是一个弟弟被他爱恶作剧的姐姐们吓疯了，杀掉了自己的爸爸。

埃德加·爱伦如饥似渴地读着这些书。他在语言方面有天分，对此父亲在1818年的一封寄回美国的信中特别拎出来赞扬一番："埃德加是个好孩子，拉丁文学得十分出色。"

到了1819年末，摇摇欲坠的经济状况令爱伦家只剩下最后几百英镑，他们决定来年夏天返回美国。在他们离开多年后，至少还有三五个英国人记得埃德加。当有人在数十年后向当年的校长约翰·布兰斯比牧师打听坡的情况时，他礼貌地回想起"那个聪明伶俐的男孩"，还习惯性地称呼他"埃德加·爱伦"。可在不断追问下，牧师对这位早已离开的学生的评价简单了很多。

"聪明，倔强而任性。"他说。

1820年7月22日出版的《纽约每日广告报》，夹在"竖琴和钢琴——打折啦！"和"斯特棱沃克的机械与奇特全景画"等各式广告中间，有一则关于最新到港船只旅客名单的公告。在那时，横渡大洋的旅行事关重大，足以在新闻中占有一席之地。而在那一天的到达者名单中第一次白纸黑字地写着一个前景灿烂的名字：E A Poe。时隔五年后，返回美国的不再是"爱伦少爷"，而是一个高大结实的十一岁少年，有了新的名字和身份。他孩提时代的清晰记忆都属于伦敦，他的礼仪、教育和口音莫不如此；回到弗吉尼亚州里士满市，坡反倒发现自己在家乡成了外国人。

约翰·爱伦仍在为 1819 年的经济大恐慌焦头烂额，有段时间甚至一家人寄居在商业伙伴查尔斯·埃利斯的篱下。白天，埃德加在里士满的乡野森林里游荡，身后时常紧随着埃利斯的小儿子托马斯。"他教会我射击、游泳、滑冰、曲棍球，"小埃利斯后来回忆说，"我还记得有一次落水，是他救了我。"埃德加也爱调皮捣蛋，曾经因为射落邻居家的鸟儿被暴打一顿；困在家里不能出去玩的时候，他披上床单装鬼，搞得父亲连惠斯特牌都打不成。还有一次，他拿着假蛇猛追托马斯的姐姐，"追得她都要发疯了"。

在学校里，坡展露了更思想型的一面。在当地一位拉丁语学者开办的学校里，他被贺拉斯[1]的《颂歌》深深迷住。这些发表于公元前 23 年罗马帝国巅峰时期的诗作，恰好印证了一首颂歌的期许，诗歌是"一座纪念碑，比青铜

1　贺拉斯（公元前 65—公元前 8），古罗马著名诗人，善于写作抒情诗，代表作是《歌集》，又称《颂歌集》。

更耐久/比最巍峨的金字塔更高大……"坡会背诵这些诗；一位同班同学回忆说，他"经常在我的耳边"背诵这些拉丁文，"我听着听着也学会了，没明白它们的意思就会了。"

坡争强好胜的一面在诗歌中不自觉地流露出来——尤其是在诗歌领域。学生都喜欢在一起玩"诗句接龙"的游戏，背诵一句拉丁文诗，然后要求对手必须回应另一句，这句的第一个字母必须和前一句最后一个字母相同。有一种游戏陷阱是，用字母 X 来结尾的诗句很多，但作为开头的则很少见。下面是流传至今的摘自贺拉斯和朱文纳尔[1]的诗句接龙，句子略作了压缩。

"Necvagacornix."（或者一个流浪的乌鸦）

"XantthiaPhoceu, priusinsolentum."（弗凯亚人克山提奥斯啊！在你之前的傲慢者）

"Mittitvenenorumferax（一片富含毒药的土地）——给你再来一个 X。"

"Xerxis et imperiobinacoissevada."（泽克西斯吩咐结合在一起的两个海岸）

"Ad summum, necMauruserat, necSrmata, necThrax.（总而言之，他不是摩尔人，不是萨尔马提亚人，也不是色雷斯

---

1 通称朱文纳尔，拉丁名作德齐姆斯·尤维纳斯·尤维纳利斯（公元 60—127），罗马著名讽刺诗人。

人……）……再来一句，请用 X 开头来接。"[1]

　　如此这般玩下去，直到一方答不上来，本方获胜。可埃德加没能把这项才华运用到所有学科中去——"他一点也不喜欢数学，"他的校长约瑟夫·克拉克沉吟道。但在诗歌方面，他鲜有对手。坡快十三岁时，他父亲就带着一个不寻常的问题去找克拉克博士了。

　　"一天，爱伦先生来找我，手里拿着一卷诗稿，"校长回忆说，"他说那是埃德加写的，而且那个小家伙想出版。"克拉克劝阻了他，说"埃德加生性容易冲动"，出版诗集会让他头脑发热。然而，手稿还是在埃德加的同学们中间传开了，甚至有同学要求带几首回去给他妈妈看。至于诗的内容，众人回忆说"主要是写给里士满各种小姑娘的"。

　　在接下来的一两年里，女性并没有从他的关注中减退。他后来解释说自己感受到了对简·斯坦纳德，一位同学的漂亮和善的妈妈，"那本能的，纯理想化的精神之恋"。然而那位女士的身体和心智都飘忽不定，当她在 1824 年去世时，坡陷入一场迷乱，再次从诗歌中寻求安慰。坡幸存最早的诗作片段就写于那一年，他从父亲办公室的记账本上搞来几页纸，草草写下这三行字：

1　这几句诗只是为了玩诗句接龙游戏，意义上并不连贯。大致意思参见括号内。特此鸣谢上海师范大学法籍学者卢逸凡博士为此提供的帮助。

诗——埃德加·A·坡作

昨夜，忧心如焚，悲痛难抑

累垮了，我扑倒在沙发上

养父显然对这个十五岁少年的情绪跌宕很恼火，随即又迁怒于埃德加的朋友们。"他什么事都不做，神情悲伤，情绪低落，对家里人动不动就发脾气，"爱伦在那年秋天的一封信中说，"我们的付出怎么会是这样的结果，真无法理解……恐怕是那些小伙伴把他带进他们的套路里，完全背离了他在英国学到的那些。"

爱伦不可能理解儿子的心思，埃德加那些朋友也半斤八两。这孩子的表演实在是与众不同。坡继承了母亲的天赋，爱唱歌，并对从事演艺的生身父母充满好奇；长期分离的哥哥亨利·坡也会匆匆来看他两眼，更让他惦记自己的幼年生活。于是，埃德加联手斯坦纳德夫人的儿子和另一位同学，创办了戏剧社，间或上演一些剧作，如《尤利乌斯·凯撒》，入场费一美分。同学们都羡慕坡的体育才能——他是一个清瘦敏捷的赛跑选手和实力强劲的游泳选手——但对他的戏剧天赋会如何发展则不太有把握。

"关于埃德加·坡，大家都知道他亲生父母是演员，而生活上依靠养父母的慷慨馈赠，"同班同学约翰·普莱斯顿回忆说，"这带来的影响是，其他孩子都不愿服从他的领导；如今回想起来，我猜这可能造就了他凶残的个性，如果换作其他境遇，他是不会那样的。"

但是坡和养父母的境遇即将发生变化。约翰·爱伦在伦敦背运的投机后，没能摆脱债主盈门的日子，和埃利斯的合作最终于 1824 年告终。可在第二年又峰回路转：一位富翁叔叔的去世和他三分之一的资产继承权，让爱伦转眼间成了里士满最富有的人。债主们不见了，他还买下了一幢精美的砖砌豪宅。

坡在茶室与装有镜子的宴会厅里转悠，身前是富家子弟那令人眩晕的美妙生活。他将会成为弗吉尼亚州的一位绅士，不需要再回英国完成学业，甚至不需要离开这个州。前一年，托马斯·杰斐逊[1]创办了弗吉尼亚大学，他一生中的宏图伟业之一。在这所大学诞生的第二年，埃德加·爱伦·坡成为花名册上第 136 号学生。

最初几个月，似乎一切都顺顺当当。

"今天早上，我收到了您寄来的衣物，"埃德加从夏洛茨维尔[2]给他父亲写信说，"即，一件制服外套，六码条纹裤料，四双袜子——外套很漂亮，很合身。"

坡关切的都是离家大学生通常关切的，比如缺钱，所以到校不到一星期，他就又写信要了一百元。还有就是发

---

1 托马斯·杰斐逊（Thomas Jefferson, 1743 年—1826 年），《美国独立宣言》主要起草人，开国元勋之一，美国第三任总统（1801 年—1809 年）。
2 夏洛茨维尔，弗吉尼亚大学所在城市，位于里士满西北约一百一十公里。

现自己需要衣物，以及落在家里的各种物品。（"给我寄一本塔西陀[1]的《历史》——小开本的那种——还要一些肥皂。"）他还把女朋友艾尔米拉·罗伊斯特丢在了里士满，他们曾经在那年夏天过从甚密。他尽职尽责地给她写信，可不久就和其他大学生一样纳闷，为什么发出的信都没有回音呢。

尽管如此，他挑中的大学新生宿舍——吉祥的 13 号房——对他而言是一个新的自由天地，艺术的圣殿。在简朴的木质家具和摇曳的牛油蜡烛灯光中，是伏尔泰的《古代史》，那是他从学校图书馆借来的，还有一本价值不菲的插图版《拜伦勋爵诗集》。坡依照那本诗集中的插图，在宿舍天花板上画了一张真人大小的拜伦肖像，当时离这位伟大的浪漫主义诗人死于希腊民族独立战争只有两年时间，十七岁的坡以此向这位丑闻缠身的艺术家的光荣捐躯致敬。

可他在宿舍外的丑闻就完全不同了。学校的环形大厅在建设中，图书馆的书籍也还没有登记编目。杰斐逊创立了一个思想格外超前的教学实验——学校课程可以自由选修，并采取学生荣誉制度进行自治。结果是，在坡读书期间，这里与其说是乌托邦，不如说是一个蛮荒的大自然。一名弗吉尼亚大学学生在打牌时抢起马鞭抽打同学，而另一对学生则怒不可遏地相互诋毁。坡曾就此惊讶地写道，

---

1 塔西陀，约公元 55—120 年，罗马著名历史学家，著有《历史》《日耳曼尼亚志》等。

"大学里的每一根柱廊都贴满纸条，白花花一片"，全是对战者们的传单。

还有一些人则更直接，会相互撕咬。

"我目睹了整个过程——就发生在我门前……"坡在给父亲的信中写到了一起野蛮斗殴，导致有人被咬伤。"我后来看见了那只胳膊——确实很严重——从肩膀一直咬到胳膊肘——可能有几片和我手掌一样大的肉被咬掉了。"

不过，坡仍试图融入其中，他大口喝下深受学生们欢迎的桃子白兰地，一口一杯。即便如此，坡还是显得高冷拒人——或许正是因为他对自己的创作有点过于较真。他曾经向同学们大声朗读一篇短篇小说，里面有一个名叫加菲（Gaffy）的主人公，同学们就给坡安了这个绰号，令他恼羞成怒。

"我的印象是，无论过去还是现在，没人敢说了解他，"一个同班同学多年后回忆起"加菲"时说，"他总是挂着……一副悲伤、抑郁的脸，即便是笑也一副勉为其难的样子，我不记得他曾开怀大笑过。"坡身上的这一点其他人也注意到了。"他是个漂亮的男孩——不很健谈，"他的女友艾尔米拉说，"但真开起口来也会忘乎所以，通常则是一脸苦相。"或许像他有时暗示的那样，他的抑郁性格来自生身父母和他们的悲惨结局，并因为约翰·爱伦拒绝正式收养他而进一步加深，令埃德加在这个世界上始终有点不踏实。

在教室里，坡是踏实自在的。他修读了两门课程——古代语言和现代语言，两门课隔天上，都是早上 7：30—9：30。坡应付裕如，凭他与生俱来的能力，课前几乎不做任何准备。他的新生学年到 1826 年 12 月结束，主考官是地位不下于杰斐逊的两位共和党继任者，詹姆斯·麦迪逊和詹姆斯·门罗 [1] 那样的人物。坡的拉丁语分数是拔尖的，法语分数也很高。

然而学年结束得并不开心。坡在路上遇到威廉·沃滕贝克，坡的同学，也是学校图书管理员——他是年轻诗人从没有彻底适应的这座校园里的一位有同情心的倾听者。他发现"加菲"准备放弃校园生活，为了省钱买柴火，坡甚至砸烂宿舍的家具来度过在那里的最后几个夜晚。

"那是十二月一个寒冷的夜晚，"沃滕贝克说，"他的炉火快灭了。靠着几根牛油蜡烛，还有他砸碎的小桌碎片，才又点燃了火堆；在舒适的火苗旁，我和他度过了一段非常愉快的时光。"

坡还不到十八岁，比班上的大多数同学要小，但沃滕贝克知道他是一名优秀的学者——他见证了坡通过翻译意大利语诗歌获得了额外的学分，班上没有哪个同学愿意找这种麻烦。作为图书管理员，还有他不知道的呢，就是这

1　詹姆斯·麦迪逊（James Madison，1751 年—1836 年），美国第四任总统（1809年—1817 年），美国"国父群"之一。詹姆斯·门罗（James Monroe）美国政治家，第五任美国总统（1817—1825），弗吉尼亚出生的最后一位连任总统。

位年轻天才正陷入麻烦。坡在书桌火堆的余烬旁透露了自己的秘密：进大学后家里给的钱不够用，他采取了最快捷也是最为灾难性的解决方法，坡欠下了赌债，正面临灭顶。

"他为自己挥霍掉的大把金钱以及欠下的赌债懊悔不已，"沃滕贝克写到，"他估计债务有 2000 美金，虽然都是赌债，但是他严肃认真地强调，会以名誉担保，一定尽早还清。"

长期以来，传记家们一直对爱伦没有给坡足够的钱感到困惑。可这对于任何一个家庭里的第一代大学生来说，都不是秘密。约翰·爱伦是个从没有上过大学的移民；他能理解的只是经商，上中学，和偶尔的家教费。弗吉尼亚大学录取新生的名单刊登在《里士满询问者报》上，坡的名字位于其中一栏的顶部，而同一期报纸上还有十多个本地进修学校的招生广告——这才是爱伦熟知的领域。至于大学所需要的时间和费用，其培养学术兴趣的目的等，他一概不知；每当坡抱怨上学用度不足时，爱伦就会回击说，他儿子把学习都浪费在读《堂吉诃德》这样的东西上了。

还没等放假回到里士满，坡游手好闲的名声已先行传开了：他写给女朋友的信被父亲全数拦下，债主们则守在社交场所，等着把埃德加拉到一旁私下说几句。更糟的是，夏洛茨维尔的商人们拿着埃德加欠下的服装费、洗衣费、柴火费账单，向爱伦夫妇催讨欠款。约翰·爱伦当然付得起——事实上，他刚刚被提名弗吉尼亚银行董事。可他拒绝支付，直截了当地叫债主去找他身无分文，十几岁的儿子。

坡发现路只有一条，就是去父亲的仓库无偿打工，兴许还能在那里学点实用的生意技能。几天前，这个还在几任美国前总统面前翻译拉丁文和法文的男孩，此时却要面临爱伦夫妇的苦役。

"爱伦先生行事方面是个好人，但埃德加不喜欢他，"一个家里的老熟人后来回忆说，"爱伦为人精明，锱铢必较，长长的鹰钩鼻，蓬乱的眉毛下一双锐利的小眼睛，总让我想起老鹰。我知道，他经常对埃德加发火，威胁要赶他走，放他流浪，而且从不放过机会提醒他是靠着自己的施舍过日子。"

理论上说，埃德加只是爱伦家里的客人，因为爱伦从没有办过收养手续——严格说来，坡仍然是个穷苦的孤儿。1827年3月，当治安官来到那座豪宅要求坡偿还债务时，他只能惊诧地空手离开，并在随后提交的报告中说"发现没有任何财产可以作扣押"。接下来的可能是坐牢——于是在那个周末，坡逃跑了。

起初没跑多远。被父亲踢出家门后，他在里士满一家乡村酒馆里安了个房间，写了一份措辞伤人的声明："我终于下定决心——离开你的家，在这个辽阔的世界上努力寻找安身之地——不想被如你对待我那般地被人对待。"但隔了一天后，由于无钱无粮，这个遭鄙视的男孩的第二封信的口气令人心碎了。"我急需救助，从昨天早上起就没有吃过东西，晚上没地方睡，只能在街上游荡——我快垮掉了……"信的末尾是一行参差不齐的没有标点符号的附言：

我身无分文没得吃

于是——就这样——埃德加·爱伦·坡消失了。

"我想，埃德加是去当水手，做发财梦去了，"约翰·爱伦一周后随手写了一句，看上去相当漠然。那年春天，弗吉尼亚人彼得·皮斯到访波士顿港区时，认出了一张熟悉的面孔，一个衣衫褴褛的仓库职员，名字叫亨瑞·勒伦内。

"埃德加！"皮斯情不自禁地喊道，而那个职员发疯一般把他拉进一个小巷子。

"坡恳求他不要大声叫出他的名字，"一个亲戚回忆说，"他解释说，'他已经离家出走，隐姓埋名，除非发了大财。'"

发财梦始终躲着他。"亨瑞"被他的仓库老板骗了，没有拿到报酬；随后他在波士顿一家报社找到一份商贸记者的工作，可是公司倒闭，薪资又没影了。遭养父母抛弃后，坡在找寻四散的兄妹和对诗歌的旧爱中得到安慰。之前他和哥哥亨利·坡只见过几次面，亨利的职业是水手，也是一名志向远大的诗人，两人的命运奇妙地绑在了一起。那年一月，亨利在《星期六晚邮报》上首次发表了几首诗，妹妹罗莎莉也写了一些。1827年里这令人伤痛的一刻，大卫和伊丽莎·坡的三个孩子在诗歌中团聚了。

身无分文，绝望，女房东叫嚣着赶他出门——十八岁就面临无家可归和人间蒸发——一束诗稿成为埃德加留给世间某种痕迹的最后机会。带着仅有的一点钱，自称勒伦内先生的他，找到当地一个和他一样年轻有抱负的印刷商，委托他匿名发行五十本薄薄的诗集，那诗集看着像是他第一部也是最后一部作品：《帖木儿及其他诗》，作者署名：一名波士顿人。

《帖木儿》，这本40页的不起眼的廉价小册子，注定无人理睬；作者本人也如此判定，毫不掩饰，"这本诗集中的绝大部分创作于1821—1822年，当时作者还不到14岁"，这位匿名的诗人在简短的前言中这样宣称，感觉像在为那些诗打圆场。

传记作家们通常没有特别依据地假设，坡匿名并自称年少，是为了将自己和对那些诗的批评撇开距离。鉴于坡对自己天赋的毕生自负这一事实，这个假设是有点奇怪的。事实上，根据坡的自述和里士满同代人提供的证据，他确实是1821—1822年开始第一次寻求出版自己的诗作。他带到波士顿的那些诗有可能经过大改，甚或完全是新写，但都是他自十二岁就开始诗人梦想的结晶。采用假名字则很容易解释：躲避债主。还要过六年时间，联邦法律才废止债务人入狱的条款；如果在书上曝光真名，将令他面临比诗作遭遇恶评更大的危险。

　　这本集子里的大多数诗，都含有一个仍然拘泥于拜伦勋爵和托马斯·摩尔那样浪漫主义风格的年轻诗人的主题：青春、爱情，失去的青春，失去的爱情，以及时光与抱负的幻灭。"我始终幸福——虽然只是在梦里，"他在《梦境》一诗中慨叹，而收尾的那首诗《最幸福的日子》则将惨痛的失落感描绘得更加直白：

> 最幸福的日子——最幸福的时光
> 　我灼痛枯萎的心已知道，
> 最显赫的荣耀，至高无上的权势，
> 　我觉得已飞逝。

> 我说权势？是啊！我正如此希望
> 　但它们全都早已消失！
> 我青春的期盼都已经——
> 　但就任它们消散吧。

　　一个弗吉尼亚未来绅士破灭的梦想，这一说法可以被看作对这首诗的合理阐释，对坡本人却不是很有帮助。一位作家的生平可能会给某件艺术作品提供许多内容；但若反向推断则未必可靠。完全依靠对作品的主观感受——却很少考虑作者的生活会渗透到某个特定作品中——所以，运用艺术去填补生平的空白点，哪怕是试探性的，都会给艺术和传记造成误解。

毕竟，青春的失落和雄心的受挫是浪漫主义诗歌的标准主题。它们出现在坡的诗中毫不令人惊讶，就和那个时代刻意押"嘭嘭"响的尾韵一样，他极致地押些刺耳的韵脚，如"pass"与"grass"，"night"与"light"。他的词汇量也捉襟见肘，充满陈词滥调，老是说"visions"（愿景），不断提到"a dream"（一个梦）和"dreams"（梦想），且都会置于诗歌的标题位。

坡的诗歌中不很传统的一面，是他娴熟运用长破折号，营造出戏剧性的停顿。标点符号是和音乐中休止符一样的文本符号，逗号代表一拍，破折号代表两拍，冒号代表三拍，句号代表四拍。这是坡自孩提时就掌握的一个十八世纪传统，有节奏地使用语言依然是他最初《英语拼写手册》课程中的一部分。但更加突出的是其中第一人称叙述者"我"对"你"说话技法的运用，且不仅仅是作者对读者说话。在他以埃德加·坡、埃德加·爱伦、埃德加·A·坡等各种身份生活过之后，他现在用的是他第四个身份亨瑞·勒伦内——已经掌握了如何巧妙运用各种奇幻、虚构的人物声音来说话。

这一点在诗集中的同名诗作《帖木儿》里表现得再清楚不过。坡已经意识到这是他最为成功和成熟的诗作。诗中的叙述者获得了确切的姓名和话语权；节奏和韵脚也转而更接近口语，这非但不是束缚，反而更精巧支持了诗行的转换。那位传奇性的突厥人征服者（帖木儿）的崛起、失败和流亡的宏大主题也是不同的——虽然对现在的读者来说，也许此处的"波士顿人"没有丝毫隐藏或神秘可言。《帖木儿》的开头几句似乎是在模仿一个被鄙视的孩子的悲惨境遇："弥留之际听仁慈的安慰！/不，神父，这不是我此刻的向往——"[1]

坡对一段历史作了虚构运用，帖木尔正值弥留之际，忏悔自己以牺牲青春之爱为代价——"一颗破碎的心的王国"——而进行横征暴敛的一生。青春损失的惨痛（"我并非从来就像现在这般"），以及俗世命运的无情贯穿了全诗：

> 神父，我确凿无疑地相信——
>
> 我知道——因为向我走来的死神
>
> 从那远离福祉的地方
>
> 已经虚开他那道铁门
>
> 在那里人们将不会再受骗，
>
> ……

　　然而，在很多年里，不仅仅是生命，也包括《帖木尔

---

1 诗句译文引自《爱伦坡精品集》，曹明伦译，合肥：安徽文艺出版社，1999年。个别字词有改动。

及其他诗》这部诗集，似乎都从死神的那道大铁门里消失了。坡的小书没有听到一句评点；和许多首次发表的诗作一样，这部诗集只得到灭顶般的沉默。但对于波士顿码头上一名悲惨的职员来说，挤出一笔钱印刷五十本匿名诗集，却绝非要点。无论世界是否认识他或者他的作品，逃亡者埃德加·爱伦·坡不断变换的身份中的某一点已经发生了改变——无可挽回的改变。

现在他是一个作家了。

2　瓶中手稿

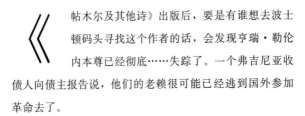帖木尔及其他诗》出版后，要是有谁想去波士顿码头寻找这个作者的话，会发现亨瑞·勒伦内本尊已经彻底……失踪了。一个弗吉尼亚收债人向债主报告说，他们的老赖很可能已经逃到国外参加革命去了。

"坡彻底不见了，据说去参加希腊民族解放运动了，"他绝望地写道，"去希腊和去其他地方没啥两样，我相信，他已经身无分文。"

可是，如果他们查询一下波士顿轮船离港公告，就会发现，在驶往南卡罗来纳州摩尔特里堡的一群新兵中，有一个似曾相识的怪名字。经过几个月的勉强度日，十八岁的坡在 1827 年 5 月 16 日搞出了第五个化身：列兵埃德加·A·佩里（Perry），年龄是 21 岁。他的名字和虚假履历都是直接从当周的报纸上抄来的。的确，波士顿的希腊委员会有一艘救济船即将离港；至于那个姓名，可能是从弗吉尼亚大学的一位老同学那里受的启发，但更简洁明了的解释来自那一周的波士顿报纸：一连串激动人心的报导说，极地探险家威廉·帕里（Parry）船长率领的皇家海军赫克拉号将从伦敦出发，开往北极。坡长期痴迷于神秘的地球两极；有推论说，地球两极是巨大的洞穴，人靠得太近会彻底消失，再也回不来了。对于一个爱冒险、想改头换面的年轻人来说，还有什么比这更好的新名字呢？

去往摩尔特里堡的海上航程艰苦异常，部队的一艘姊妹船在风暴中沉没了，幸好坡所在的队伍逃出生天，平安抵达。然而，那个岛上要塞看着就和帕里船长的北极一样荒凉："岛上除了沙子什么也没有。"坡后来写道，岛上"没有一棵像样的树木"，"一些破败不堪的木房子，是专门出租给那些夏天从查尔斯顿[1]的尘土和酷暑中逃出来的人的。"

尽管如此，军队生活却格外适合他；美国军队的与众不同之处在于，它是唯一能对埃德加·爱伦·坡的各种天赋予以坚定支持和欣赏的机构。"佩里"被分配到炮兵连，操练弹药填充，他有了吃的、穿的、住的，还有虽显微薄却稳定的每月十美金的薪水。五年兵役服了两年不到，他已经荣升到士兵军衔的最高一级——军士长。

他继续写诗、改诗，甚至还有作品神不知鬼不觉地登上了杂志。他哥哥亨利·坡曾经在短命的《北美》杂志上

---

[1] 查尔斯顿，美国南卡罗来纳州港口城市。

发表过几首诗，并在署名"W. H. P."发表的作品中偷偷放了两首埃德加的——这也是迫不得已的伪装，因为埃德加还在躲避债主。1827 年 11 月 3 日那一期的杂志上还登载了一篇署名亨利的小散文《断片》，虽然这是一篇第一人称、毫无特色、发烧呓语一般的小故事，讲述一个绝望的人用枪指着自己的头："天啊！我的手在颤抖——不！只有灯火在闪烁……不是别的——手枪——我已经装好子弹——子弹是新的——特别亮——它们不久就会进入我的心脏——无法理解的死亡——你是什么？……"它和亨利·坡发表过的所有东西都迥然不同，却和埃德加最近发表的那个疯狂的、喋喋不休的叙述者十分相似。在亨利的名下隐匿了几个世纪之后，《断片》被认定是十八岁的埃德加·爱伦·坡最早发表的小说作品。

1828 年即将结束，坡对于五年服役期焦躁不安起来，因为它不再能带给他更多进步；他最大的希望是花钱找人来代替他的职位，然后自己去西点军校参加军官培训。埃德加打破了他和约翰·爱伦之间的长久缄默，表示已痛改前非，坦陈自己的计划并请求帮助——"我已经和您熟悉的我不同了，不再是四处游荡、漫无目的、朝三暮四的小男孩。"爱伦起初并没当回事，但是那年二月份，妻子弗朗西丝的过世让他心肠软了下来。办完葬礼，这对养父和养子小心翼翼地和解了。于是，带着爱伦勉强写就的信，以及坡的首长们充满溢美之词的推荐信（有一封信还热切地补充道："他品行端正，彻底戒酒。"），埃德加·A·佩里于1829年4月光荣退伍。

那一年的大部分时间，坡都住在巴尔的摩，和亲人们团聚，边打发时间，边动脑筋去西点军校。和哥哥亨利团聚的喜悦被他们的赤贫境遇冲淡了，埃德加写信给约翰·爱伦说，他"身无分文——人生地不熟……我祖母患有麻痹症，赤贫。我姑妈玛丽亚情况可能更糟，亨利沉溺于酒精，自身难保，比我还不如——"

在这般悲惨情况下，坡将仅有的几文钱用作邮资给杂志投稿，可效果甚微。声名显赫的编辑 N. P. 威利斯[1]告诉《美洲月刊》的读者，为了找乐子，他曾焚烧了一篇没有署名的来稿（"兴奋地俯下身子，咀嚼着火苗吞噬中的那些词语"），然后挖苦地引了坡的诗稿《仙境》中的几句。《扬基人》杂志编辑约翰·尼尔虽然没打算发表坡的作品，但至少鼓励了他。他写道，如果坡能在整首诗中都保持最佳状态，那么他将会在诗人那"闪耀的群星中雄踞高位——非常崇高。"

坡下决心再试试。1829年末，他发表了一小卷新诗集《阿尔阿拉夫、帖木儿及小诗》。这一次，或许因为约翰·爱伦勉强提供了经济资助，他不需要再隐藏自己了，那廉价的封面上骄傲地宣告："埃德加·爱伦·坡著"。

1　全名纳撒尼尔·帕克·威利斯（N. P. Willis, 1806—1867），美国著名作家、诗人、编辑，以游记著称。

　　没几个读者会发现，这是坡对第一本诗集进行大幅度修订后的版本，加上未完成的与诗集同名的《阿尔阿拉夫》的第一部分。《阿尔阿拉夫》这首264行的梦幻诗将第古·布拉赫[1]的天文学发现与《古兰经》里晦涩的祈祷文堆垛到一起，是艺术"二年级生症候"[2]的典型产物，充满自命不凡的脚注，涉猎远超作者可控范围，结果搞得一团糟。但它却是一个艺术家应该有的那种一团糟，一个作家的成长需要雄心勃勃——《阿尔阿拉夫》的确如此。首要的是，作者必须创作时激情满怀，修改时平心静气。坡甘愿无情地扒光自己，重写旧作，这展现了一位专业人士必须具备的对于艺术的专注，而这是会令绝大多数业余爱好者望而却步的。

　　这种职业精神并没有延续到他的西点军校生涯中。1830年6月，坡进校学习，实指望轻而易举地完成军官培训，但他吃惊地发现自己之前的入伍经历毫无用处。由于严格的日常作息——日出起床，一直上课到下午四点，然后是训练、晚餐，接着继续上课，直到上床睡觉——让他怒火万丈，又开始喝酒。

　　"他是学校里公认的天才，"一位弗吉尼亚籍同乡学员

1　第古·布拉赫（Tycho Brahe，1546—1601），丹麦天文学家，在星象观测与描述方面成就卓越，他还发现并培养了另一位著名天文学家约翰尼斯·开普勒。
2　二年级生症候是指一种某人的第二次表现远不如其第一次那样出色成功的现象，特别是二年级学生不如第一年优秀，体育运动员第二赛季不如新秀赛季那样抢眼，歌手或乐队的第二张专辑不如第一张那样成功等。

在给家人的信中写道，"但他只是疯狂地爱诗歌，根本不喜欢数学。"

他真心喜欢写打油诗嘲笑那些教官，这很讨同学们的欢心。"他经常会编一些很恶毒的打油诗，"一位室友也回忆说，"我从没见过如此苦大仇深的人。"

由于坡故意不点名不上课，在1831年1月被开除——但是他突出的才华仍然获得了充分尊重，校长甚至容许他在同学中进行一次募捐。尽管他理所当然地可以自主使用那些钱——离开西点军校时口袋里只有24美分——可坡答应同学们会用这笔钱出版一本新的诗集——署名埃德加·A·坡的《诗集》。总共232人的年级，有131名学员各出了1.25美元。

他们的愿望基本落空了。这本敬献给"美国陆军学员"的《诗集》中，只是修订了之前写的一些华而不实的抒情诗，外加六七首新创作的短诗。坡自认为其中的《睡美人》最优秀，这首诗第一次展现了他对于生与死的临界状态的痴迷。他以韵律齐整的典型浪漫主义手法，娓娓道出对一位美妇人之死的追思，又在最后一节令人惊讶地转为浓重的格雷或者摩尔[1]风格：

1　托马斯·格雷（Thomas Gray, 1716—1771），英国前期浪漫主义诗人，代表作是《墓畔挽歌》。托马斯·摩尔（Thomas Moore, 1779—1852），爱尔兰诗人，著名诗人拜伦的好朋友，代表作品有《夏日的最后一朵玫瑰》等。

那一座石墓，偏远，孤独，

她曾随手朝那墓门投掷，

许多石块，在她童年时代——

那墓门上传出回声的坟茔

她再不会牵强地解释那回声，

惊恐地以为，有罪的可怜孩子！

那是死者在墓中发出的呻吟。[1]

　　唉，《诗集》中的确没有同学们那 25 美金预付金所期待看到的打油诗。到手的诗集是可怜兮兮地印在粗糙纸张上的，留白也宽得不能再宽——"惨不忍睹的机器印刷品"，坡的一位室友后来说，"绿色的硬封面，劣质的纸张，明显是用最便宜的价格印刷的。"今天看来，他在这本书上发了一笔小财，一位同学在他拿到的书后随手写上一句截然不同的评判：

　　"这本书，"他写道，"他妈的是个骗局。"

　　身无分文、疾病缠身的坡，那年春天游荡去了巴尔的摩，回到亲人们的身边。亲人们的境况比他一年前离开时并没有好转，而且很快变得更糟：哥哥亨利在那年夏天爆发的一场可怕霍乱中死了，年仅 24 岁。不过悲痛中也有些

1　此处译文引自《爱伦坡精品集》，曹明伦译，合肥：安徽文艺出版社，1999年。个别字词有改动。

小安慰，坡和他的姑妈玛丽亚·克莱姆更亲近了，她成为他从未有过的、最踏实可靠的靠山母亲，她年幼的女儿弗吉尼亚也逐渐引起表哥埃德加的注目。

但他们还是穷得难以为继。1831年底，坡再次面临债务牢狱的危险，就给父亲写了一封信，请求帮助解决因哥哥去世而欠下的80美元债务。爱伦开了一张支票——但在埃德加疯狂的催款信中犹豫了近一个月才寄出。

"我曾拥有的那份微不足道的怜爱早已被剥夺了，"他那难以捉摸的儿子可怜巴巴地写道，"但是，看在曾经是你亲爱的儿子的分上，看在你曾给予我的那份爱，曾让我坐在你腿上喊你爸爸的份上，请不要弃我不顾，就这一回……"

随同约翰·爱伦支票一同到达的，还有一份希望，那就是《费城星期六信使报》发布于1832年1月的一份比赛通告。这次，坡寄去了散文作品——不是诗。虽然输了，但那些篇什引发了《信使报》的足够好感，都发表了。

坡的早期散文，读起来常常如陈腐、浮夸、卖弄学问的讽刺文章，但不缺乏技巧：恐怖讽刺小说《梅岑格施泰因》和他后来的其他作品一样，开头是一段征兆不祥的祈祷文；在《甬甬》的对话中，已经可以看到坡喜剧性运用抽搐式对话的熟练技巧："为什么，先生，老实讲——我相信你是——我发誓——命——命运——就是说我认为——我想象——我有一点模糊的——一点点非常模糊的感觉——那恢弘的荣耀——"但是坡这时还没有达成真正的恐怖，缺席一位扣人心弦的叙述者，一个神通广大、疯狂的第一人称叙述者，来活灵活现地呈现坡需要的恐怖感。

这种天赋在《注定失去》中端倪初现。小说中滑稽倒霉的叙述者，先是差一点被窒息而亡，接着被活体解剖，然后鼻子又被小猫咬掉，吊在绞刑架上，然后再次被活体解剖。故事嘲弄了《布莱克伍德爱丁堡杂志》[1] 上的那类"绝境故事"，人物以第一人称展开疯狂幻想，被活埋，被困在隆隆作响的教堂大钟里面，或者被放在酿酒的大蒸馏罐里活蒸。的确，和今天一样，惊悚故事更多依靠的是作者对他试图唤起的感觉气氛的强化，而不是人物塑造——虽然坡已经能模仿其形式，但还没学会超越它们。

作品的发表没有带来任何帮助，因为《费城星期六信使报》的编辑水平和稿费都不能和《布莱克伍德杂志》相比；它的稿酬微乎其微，甚至不给钱。他寄养的家庭也不再给与支持；约翰·爱伦再婚了，不再劳神回信。坡无以谋生，最大的机会是去当地一家砖厂找活干。如此情形下，当 1833 年 6 月巴尔的摩当地一家杂志《星期六游客报》发布公告说他们"热切鼓励文学发展"，并发起一场比赛，"最佳故事能获得 50 美元的奖金"时，坡的反应应该不难想象。

---

1 该杂志由英国苏格兰出版家威廉·布莱克伍德于 1817 年创刊，直至 1980 年停刊。在坡时代很受欢迎。

更容易想象的是比赛结果公布时他的反应：他赢了。

许多人都只递交一篇短篇小说参赛，可坡提交的是整整一本小说集，评委们挑中了《瓶中手稿》这一篇。这是一篇诡异的海上故事，讲述一个遇到海难的人在幽灵船上的航程。那艘船驶往极地世界，而那个故事据称来自于一份保存在瓶子里的文件，由其作者在南极巨洞边缘行将坠落之际拼出最后力气扔出来的。这是坡第一次尝试塑造一个可信的叙述者，并由他带领读者一步步深入那个诡异、噩梦般的世界。

当《星期六游客报》编辑约翰·拉楚伯登门拜访获奖人时，立刻意识到那五十美元奖金意味着什么。"他身形笔挺，彬彬有礼，像是受过专门训练，"他回忆说，"身着黑色外套……一星半点的白色都看不见。外套、礼帽、长靴和手套都明显过了盛隆韶光，却因精心修补和擦拭而不失原有光彩，以保证上得了台面。那身衣服若穿在大多数人身上会显得破烂、粗陋，但在这个人身上有某种东西，阻止了大家对他衣着的诟病。"

"不管怎样，给人的印象是，"拉楚伯干巴巴地接着说，"奖项落到坡的手上正可谓适得其所。"

它还给坡带来了更为珍贵的东西：他开始被当作一名颇有建树的作家看待，一位同行，而不只是一个有前途的天才小子。比赛评委中有一位名声显赫的南方小说家约翰·彭德尔顿·肯尼迪[1]，同时是位令人尊敬的律师，像兄弟一般对待这位喜怒无常的获奖者，并鼓励他继续完成他酝酿中的小说集《福里奥俱乐部的故事》。1833 年末，《星期六游客报》上登载了一项出版选题征集计划，不久又撤下了。肯尼迪仍旧劝说费城出版商亨利·凯里考虑一下那份稿件，可凯里有点犹豫不决。

至少，坡从此得以在杂志上发表一些粗制滥造的作品糊口，这也不错：疾病缠身的约翰·爱伦于 1834 年 3 月去世，遗嘱中对埃德加只字未提。在这个富商的庞大产业中，在他八处房产，以及银行与金矿股份中，坡获得的是——没有。

***

接下去的那一年是埃德加·爱伦·坡生命中最黑暗苦闷的一年。亨利·凯里对着坡的作品犹豫来犹豫去，最终还是拒绝了。同时，坡尝试找一份教师的工作也失败了。"我在巴尔的摩见到时，他正挨着饿，"约翰·彭德尔顿·肯尼迪回忆说，而坡也的确拒绝过肯尼迪的宴请，回复是"因为我去的话将是对我莫大的羞辱"。肯尼迪借钱给他买衣服，还把马借给他骑，可就是没法给坡一份工作。不过，职业的

---

1 约翰·彭德尔顿·肯尼迪，，美国小说家、早期南方文学的代表人物之一。

第一丝迹象即将出现。当年一份简单的报纸头条上："预告，一份文学报纸将在弗吉尼亚州里士满出版，编辑托马斯·W·怀特，名叫《南方文学信使报》。"

1830年代，美国初生的报刊业发展迅猛。蒸汽动力的印刷机、铁路和蒸汽船只运输的兴起，意味着成千上万印数的印刷品能轻易地送达全国各地的订户手中。在纷纷涌现的新报刊中，怀特的报纸初看没有特别之处：刚刚过去的十年，已经见证了《南方文学纪录》和《南方文学报》等同类的诞生和消失。但是怀特一直殷勤地培育着和广受崇敬的作家们的关系，首当其冲的就是约翰·彭德尔顿·肯尼迪。肯尼迪在鼓励坡把恐怖故事《贝蕾妮丝》和《莫雷拉》投寄给这家报纸并取得成功后，他在1835年4月给怀特写信，明确建议他雇用这位正在挨饿的作家："他笔头机灵——经典而有学者风范，缺的是经验和指导，但我毫不怀疑他对你是非常有用的。而且，可怜的家伙，他太穷了！"

孤注一掷的坡，在怀特面前表现得像是一位自信满满的专业人士。他的作品已经在相当古板的《信使报》上给人留下过深刻印象。《贝蕾妮丝》里，一个悲痛的叙述者拔出了被自己活埋的妻子口中的牙齿，而在《莫雷拉》里，已故妻子僭取了他们没有名字的女儿的身份。活埋和变换不定的身份，都是坡迷恋的主题，但绝非未经深思熟虑的主题。他在给自己的新编辑，对他略有微词的怀特的信中解释说，他已经非常仔细地考虑过这类故事的市场问题：

将荒唐强化成怪诞；恐惧渲染成恐怖；机智夸大成粗俗；
个性解释成怪异和神秘，你也许认为所有这些品味低劣，可
我对此表示怀疑……是否品味低劣，只是我这些文字表达中
的一个小目的。要被欣赏，你必须被阅读，这些才是这种热
望背后不变的探索。

坡能敏锐意识到公众宣称有价值和真正购买之间的距
离——他坦率表示，有些东西"最好由杂志的发行量来衡
量，而不是从内容评判"。况且，他的办刊哲学不是唯利是
图，毕竟在这类作品中也有艺术性：他明确指出，在《布
莱克伍德》杂志那些耸人听闻的故事背后就躲藏着一些英
国最优秀的作家。不仅如此，当怀特提出要坡在其他出版
物上发表文章称赞《信使报》时，他机智地拒绝了。说到
底，他是一个作家，不可以被收买，也不能被侮辱。

怀特被感动了。于是在 1835 年 8 月，坡搞定了自己第
一份稳定的文学工作。虽然出版商谨慎地回避给出一个确
切的工作头衔——埃德加自认为是编辑，托马斯则并不认
同——他要求这个年轻作家做自己的左膀右臂，他的私人
秘书，处理信件，与撰稿人讨论稿件，动手敲出一栏又一
栏的评论、点评，以及《信使报》的其他杂活。

坡自己的创作不可避免地受到影响，"因为编辑的职责
在身，我手上一点时间都没有，写不出任何值得一读的东
西。"他在信中向别人坦承。但是这样的职业经验对他是无

价之宝，即使他后来的创作并非没有受益；就在他即将成为《信使报》正式员工之前，报纸发表了他的喜剧骗局故事《汉斯·普法尔的非凡历险记》——说的是一个荷兰的风箱维修匠为了躲避债主，异想天开地坐上一种新式热气球，飞到月亮上去了。这很有创意，但也太过荒诞，没法让人当真。两个月后，一个更加精巧细腻，同样以月球骗局为主题的故事由理查德·亚当斯·洛克发表在《纽约太阳报》上，坡为此大为恼火。

"我确信，那个想法是从我这里偷的。"坡一口咬定。

这是坡一生中与剽窃之间漫长而不幸的风流韵事中的第一次纵情，不过这一次坡至少还能意识到迅速撤退。洛克极为成功地描述说，望远镜能看到月球上的蝙蝠人和两足动物围着巨大的蓝宝石金字塔跳跃，并直接导致这一期《太阳报》的销量超过了伦敦的《泰晤士报》。最终，连坡自己都承认，洛克的作品非常新颖独特，人们"十有八九"信以为真了。

搬到里士满，却没有让坡少一点牵挂。将姑妈玛丽亚和表妹弗吉尼亚留在巴尔的摩，让坡得以施展并小有成就——但又难免愧疚。他给肯尼迪写信承认说，前所未有的 520 美元的年薪并不能让他舒心："我感到很沮丧……非常难过，尽管生活状况有极大改善。"怀特看到他的助理在借酒消愁，也担心地写信给朋友说，他注意到坡"很不幸地在放纵自己……听说他想自杀，对此我丝毫不奇怪"。他直接把坡解雇了——可当他的杂志当即趴下后，只能又把坡请了回来。

"没有谁在早饭前喝酒还能太平无事！"怀特温和地责备他任性的助手，"没有人这样还能正常干活。"

坡的家族史是个不好的伏笔，他的生父和哥哥都是酒鬼。埃德加每当焦虑和沮丧时就会喝酒，和父亲一样，酒后的他容易变得喜怒无常，和人争执。"坡先生清醒时是位优雅的绅士……"《信使报》的一个职员回忆说，"可一旦喝了酒，他可能是我见过的最讨厌的人。"当时的舆论调门都将喝酒视作道德败坏，坡却不以为然；等到彻底认识这一点，他承认这是一种"病"，并希望从这种病中康复——当埃德加返回工作岗位时，他的老板发现他重新振作了起来；在得到姑妈和表妹的保证说她们将搬来里士满后，他的精神也稳定了下来。

坡现在有太多《信使报》的工作需要赶上。在他去职期间，《信使报》缺兵少粮，在 1835 年 12 月和 1836 年 1 月连载了坡尚未完成的剧本《波利希安》。剧作笨拙地将 1820 年代发生在肯塔基州的一桩臭名昭著的三角恋故事，移植到 16 世纪的罗马，用的还是无韵体诗：

> 拉拉基：就要采取行动了——
>
> 卡斯迪尼奥内还活着！
>
> 波利希安：可他应该死！（下）

> 拉拉基：（停了一下）而且——他——应该——死！啊！
>
> 卡斯迪尼奥内死了？是谁说的？
>
> 我在哪儿？他刚才说的什么？——波利希安！
>
> 你还没有走——你还没有走，波利希安！
>
> 我觉得你还没走——可我不敢看，
>
> 怕万一我看不到你；你不能带着
>
> 嘴边的那番话走掉——哦，请说给我听！

　　剧本遭到了完败：《信使报》没有连载完它，而《波利希安》也直到 1923 年才被搬上舞台。像《阿尔阿拉夫》一样，这个剧本被普遍视为坡的败笔；像《阿尔阿拉夫》一样，这种说法既对又不对。写剧本迫使坡用场景来思考——这是剧本写作的基本规则，离奇古怪、叙述性的胡思乱想，以及没完没了、不着边际的学术探究，会使剧本失去活力，它们起码应该由剧中人物合情合理地说出来。

　　坡的早期作品沉溺于华丽的修辞和滑稽的夸饰，情节时常中断，故事也因此变得不可信——他的导师一眼看出了这个毛病。"你现在已经足够强壮，经得起批评了，"肯尼迪在《波利希安》发表后不久给他写信说，"你的错误在于你对华而不实的沉溺。祈祷你能意识到这一点，从一百个激昂的作家中找出自然的那一个来。"写作《波利希安》，不留情面地修改《信使报》的来稿，这些正是坡自身也需要的矫正。基于他塑造那个难忘的叙述者的天赋，基于他萌发中的情节设计意识，坡朝艺术大师又迈进了一步。

当然，首先，他需要谋生——并结婚。

埃德加·爱伦·坡的婚姻是件令传记作家们感到棘手的一段；传记要么深陷其中，仿佛它能给那备受折磨的传主提供某种洞见的线索，要么就是视其为家丑而一笔带过。可是，坡的艺术风格是在他早期作品中漫长而谨慎地发展出来的，这推翻了第一点；州法律又否决了第二点。

1836 年 5 月，当坡娶其表妹弗吉尼亚·克莱姆为妻时，她 13 岁，埃德加则 27 岁。对现代读者来说，这种做法是让人惊悚和不合法的，尚不论他在结婚登记证上写的弗吉尼亚年龄是 21 岁。埃德加自她还是个小孩子时就认识她，所以这是个不折不扣的谎言，但它未必是一个必不可少的谎言。在 1836 年，这样的婚姻是合法的：表亲是可以结婚的，弗吉尼亚州的法令也允许 21 岁以下的女子结婚，条件是要有她们父母的同意和另外两位证人见证；法律条款显示，这项条款适用的最小年龄为 12 岁。姑妈玛丽亚同意坡和弗吉尼亚的婚事，只剩下两名证人这一项。坡的结婚证上只有一名见证人，因此最简单的解释是，第二名见证人当天没有到场——于是他们含混地填表说弗吉尼亚已过 21 岁，也就只需要一名证人了。结婚肯定不是秘密举行的，因为在坡几周后写给约翰·彭德尔顿·肯尼迪的信中轻松地说："我猜你已经听到了我结婚的消息。"

可问题是：为什么要娶一个 13 岁的女孩？

　　无论合法与否，这个问题都令人心烦——虽然坡后来暗示说，他和妻子过了好多年才正式圆房，而且没有迹象表明弗吉尼亚曾经怀过孕。所以，这么早结婚很可能是出于经济上的考虑。和姑妈玛丽亚一起经营一家住宿公寓的计划几乎当即破灭，却让坡深陷债务。但这家人还有一些长远的打算，坡有一个堂吉诃德式的信念，相信弗吉尼亚州政府会归还他已故爷爷老大卫·坡的那笔小小的资产。如果他和父亲这方的表妹结婚，成为她母亲的受益人，他就可以在将来法律裁决过程中享有三份财产份额。

　　可是，一切都悬而未决，坡似乎只是相信弗吉尼亚正是他缘定的伊人——而且早比晚好。关于这对璧人的描述都清楚地表明两人相爱甚笃，"坡深以她为傲，非常爱她，"一位访客后来回忆说，"他喜欢她圆圆的、充满稚气的脸，喜欢她丰满娇小的体形，这些都和他本人形成鲜明对比，他非常瘦，一脸的抑郁，而她则反过来视他为偶像神明。"坡大部分的薪水都用来给她找家教、买竖琴和钢琴；那年春天，编辑兰伯特·威尔默顺道来访时发现，"那个星期天，他正忙着给弗吉尼亚辅导代数。"

　　坡自己也变得像个寒窗苦读的学生。他几乎包揽了《南方文学信使报》整年的书评，常常临阵磨枪，生吞活剥，从颅相学（"不再被人嘲笑"）到海上导航手册（"对数字准确性的关注贯穿了他的全部工作"），再到花卉分类

("迎合了所有敏感读者的美好意愿")。需要的时候，坡还从《利斯百科全书》和当地的图书馆抄抄捡捡，以保证评论家应有的权威腔调；大段摘录也保证有足够多的废话来凑字数。

但是到手的一卷卷小说和诗歌则更受他的关注，虽然他的态度通常不太友善。坡不仅认可了《布莱克伍德》这类煽情惊悚的小说，还沿袭了他们的评论风气：也就是说，绝不手下留情。他通常让英国作品轻松过关，对美国文学的缺点则猛烈抨击——特别是那种用错地方的爱国主义。他嘲笑说，（爱国主义）"更喜欢那些愚蠢的书，而且万分确凿的是，这愚蠢就来自美国人"。这些因情节单薄、语法蹩脚、节奏感糟糕而遭到坡痛批的书中，有《保罗·乌尔里克》（"无处不令人生厌"），《沮丧绅士沉浮记》（"明目张胆的欺骗"），以及《一个诗人的忏悔》（"这部作品最惹人瞩目的特点就是印刷纸张差劲"）。

坡也会不吝溢美之词；的确如此，他的赞美突出体现在他对艺术技巧的透彻理解。概括而言，坡对罗伯特·伯德的小说《谢泼德·李》中讽刺性人物身份的漂移给予积极的肯定，但是他也解释说，一个了不起的叙述者讲起话来必须"仿佛作者本人也对那些事实坚信不疑，同时对自己叙述的那些奇迹也感到震惊，并且假称他不认为那是真的，也没指望那是真的"。换句话说，作者必须自命不凡——同时要手法娴熟，不作过度阐释，不至于让读者感到故事开始变得不真实。实际上，坡所发表的是他本人小说观念的核心原则："作者不能依赖于对于不确定性的强行解释，而应把注意力放在保证人物和事实的光彩照人上，并在不知不觉间生动塑造出人类的才智。读者也顺其自然地体会到这一点，沉醉于作者的机智幽默，并任由自己被带进那个世界。"

但是读者们留意到的是那些恶意攻击——坡最恶毒的攻击是针对西奥多·费伊 1835 年的《诺尔曼·莱斯利》一书。这位《纽约镜报》编辑本人创作的平庸小说，受到他所在报纸和朋友的热捧，但它在各方面恰恰是自命不凡的坡所憎恶的。于是他在毒舌的评论中，一行行挑出书中文字，纠正其语法错误，并大肆抨击他"连小学生都不如"。对坡而言，这场攻击代表了"文学评论的一个新纪元"。但其他人未必买账——一家纽约杂志影射说，他"就像个印第安人，不把敌人的头皮削下来，就不能认定敌人被征服了"。

即便心有不甘，坡对自己的这番评论可能还是抱了点歉意，作家和评论者之间混杂着虚伪又危险的相安无事。评论写得快但挣钱少，会让作家赖以扬名立万的写作分散注意力。评论对读者的影响是暂时的，但是对作家的职业损害是长久的。杂志和评论一个月后就从人们记忆中消失了，然而对于费伊，他的作品被贴上的标签是"最无法估量的胡言乱语，由于它，美国良善人民的常识遭到前所未有的公开而恶毒的侮辱"，他对坡的敌意可能是永久的——
但在坡看来费伊的小说就是如此。

坡在纽约当然也需要朋友。1836 年 6 月，他的稿件
《福里奥俱乐部的故事》再次被无情地打了回来，这一次是
哈珀与兄弟出版社。他们解释说，集子里有多篇在杂志上
发表过，而且"都是些互不相干的故事和片段，而长期的
经验告诉我们，这两类东西都会严重阻碍出版物取得成
功……杂志文章的再版，众所周知，是所有文学出版物中
最没有销路的"。

坡还有个好难友。同一年，一份类似的退稿信摧毁了
《重讲一遍的故事》的作者纳撒尼尔·霍桑。而且令人惊讶
的是，即便在今天，作家们依然会收到出版社几乎一模一
样的退稿信。短篇小说的确销量有限，即便对于功成名就
的作家，也是堪难消受的奢侈品。编辑们不会轻信那种粗
浅手法，将短篇故事放进一个篮子凑成一个集子充当单部
小说出街销售，如果他们上过当的话。今天也是如此，如
果首部作品在某大出版商那里不成功，通常就默认为一次
职业上的死刑——不是作者就是编辑的死刑，谁还会明知
故犯地再从他那里购买作品呢。

坡起初拒绝相信这一点，试图给他的集子找新买家，
但没有成功。到 1836 年底，哈珀出版社的拒绝变成铁板钉
钉的事实：他作为作家的事业走进了死胡同。更糟的是，
他作为编辑的事业也走到了尽头。由于坡的酗酒和无止境

的债务，《南方信使报》的出版商恼羞成怒，最终炒掉了这位卓越又麻烦不断的雇员——这一次，他们不会再请他回去了。

三个月后，坡站在曼哈顿一个挤满作者、编辑和书商的大厅里四处敬酒。"为了哥谭镇[1]的所有月刊！"他大声说，"为声名卓著的编辑们，为活力四射的合作方！"

这是纽约市首次大型"书商晚宴"上无数的祝酒词之一；1837 年 3 月 30 日，作家们在曼哈顿庄严的城市酒店欢聚一堂，从华盛顿·欧文到詹姆斯·费尼莫·库柏都出席了，甚至耋老的诺阿·韦伯斯特也高擎酒杯祝愿道，"愿好书都能找到或创造出好读者。"对坡来说，这个场合是结识同侪们的绝佳机会；他离开被他搞得千疮百孔的里士满，带着家人移居曼哈顿碰运气，并马上发现自己已身处美国出版界的中心地带。

可他还不能算是那个中心的一员。坡以南方评论家声名远播，侮辱过不少作者，有的当天晚上还和他共进了晚餐，可他仍属无名之辈，有关那次晚宴的连篇累牍报道中不会有他的名字——的确，他只是因为和古董书商威廉·高恩斯同住一屋，并以他的客人身份到场的。当然坡也有充分的理由来到现场，因为到场的出版商中就有詹姆斯·

1　哥谭镇，Gotham，是纽约的别称。

哈珀，埃德加已然接受哈珀的退稿意见，正在为他们写一部长篇小说。

那一年，当《南塔开特的亚瑟·戈登·皮姆述异记》的第一二两章在《南方文学信使报》上发表时，读起来根本不像是小说。第一章主要讲述一个小伙子一次九死一生的历险；第二章是"布莱克伍德"风格的绝境故事，讲述一个偷渡者被困于漆黑一团的轮船货舱里的经历。但此时，坡写小说的态度是严肃认真的，其激发的能量让他过上了可能是自军队服役以来最纪律严明的一段生活。他隐居在格林威治村的一家寄宿舍[1]里，和玛丽亚、弗吉尼亚，以及高恩斯一家人生活在一起。他戒了酒，飞快地创作《皮姆》。"我得说，那段时间他受酒影响再少不过了，"高恩斯回忆起这段时光时说。他发现，坡把这段"好时光"全力用来写作，日常生活由妻子和姑妈精心打理。六月底，哈珀公司开具了版权文书，只是因为一次经济风波才迫使那本书直到1838年才在书店正式上架。

读者读到的故事，名义上是由坡搜集整理的，但"真正的"叙述却来自皮姆，也就是这次偷渡前往南极的非凡的海上历险的幸存者。或者，如该书副标题所竭尽所能解释的那样：书中详细记述了1827年6月美国双桅船"逆戗鲸号"在驶往南半球海域途中发生的一次哗变和凶残屠杀；

1　Boarding house，寄宿舍，一种可以短期出租的公寓，租期几天到几年不等。

幸存者重夺船只控制权的经过；船只遇难和随后恐怖的挨饿经历；船只被英国纵帆船"简·盖伊号"搭救的情形；之后该纵帆船在南极圈海面的短暂航行；在南纬八十四度的一群岛屿中被困，水手遭土著抓捕屠杀的经过；还有在高纬度地区难以置信的奇遇和发现，和因之导致的令人痛心疾首的巨大灾难。

《皮姆》的开篇有板有眼，但渐渐就沉入梦魇式的海上劫掠、谋杀、食人族、幽灵船，以及奇异的去往南极的海上航行，并以对土著和水手的大屠杀终结。坡写不下去了，为了摆脱故事人物的纠缠，他在他们就要到达南极点时突然结束了故事，结尾是皮姆和同伴彼得斯惊恐万状地看到一个巨大无比的南极洞穴，通往空洞的地球中心："此刻，我们猛地冲进大瀑布的怀抱，正好有一道裂缝豁然打开迎接我们。但那里正耸立着一个身裹尸布的人影，从比例看，其身形比任何人都要高大，肤色是雪一样的白。"

这是个令人难忘的结尾，更是一派胡言，作者对此显然心知肚明。

长篇小说创作对坡而言是困难的。虽然他在《南方文学信使报》上满不在乎地声称，"我们无法让自己相信，创作一篇真正优秀的'小文章'，其所需要的才华要比创作一部通常意义的时尚小说要少得多，"但他并非是从经验出发说这番话的，也根本不了解如何组织一个长叙事。比起《福里奥俱乐部》而言，《皮姆》不像是一个简单拼贴工作，但它还是由三个中篇故事组成：一个偷渡历险经历，一个忍耐力的故事，和一个迷失的世界的故事。坡为了尽快完成小说创作，不得不在前面两部分塞进了一些抄来的东西，读来像一个中学生的研究报告，从货物装载技巧到企鹅的家，应有尽有。等到坡开始他全书后三分之一部分的创新性的科幻故事时，东挪西抄就不见了——除了不顾脸面地将象形文字盗用为南极神秘符号文字外。当他写到一片土地，树木和"岩石都是崭新的"，甚至水都是紫色的黏稠状液体，流动起来有着"色彩多变的丝绸的色泽"，此时坡的故事开始变得创造力非凡。

正是《亚瑟·戈登·皮姆述异记》的这一部分，激起了读者的真正兴趣；一位评论者发现它是"一篇极富巧思的狂文"，另一位则称"皮姆的冒险经历毫无疑问比之前的其他任何文字记载都更加有趣"。即便有人蔑称它是个骗局——它确实是骗局，还真有少数读者上当了——但是公众对新近出现的南极探险的痴迷，对当时时髦得近乎荒唐的地球空心理论的痴迷，都意味着坡的长篇小说能吸引足够多的注意，因此，即使其热度没有导致它在美国本土二度印刷，却促发了它在英国的再版。

坡自己则既不满意也没有发财。编辑埃弗特·戴金克回忆说，坡"本人在交谈中从未表现出很自豪的迹象"。但坡毕竟聪明过人，不可能写出一本公认有瑕疵的书，因为《皮姆》包含了一些他最非凡的创作。比如第十章，一艘荷兰双桅船看似是来"拯救"被抛弃的皮姆——它靠近时，水手们都倚在栏杆上点头鼓励他们——其实，满船都是被一场没来由的灾难重创后留下的尸体，那些直立的尸体只是因为海鸥在他们的脏腑里翻滚扭动撕咬而看上去像活的。这样一副恐怖景象，足可以媲美坡最好的短篇小说。

然而，《皮姆》还是没能支撑他的生计，在它出版前，作者已经又一次举家搬迁了，这回是搬到了费城。他费尽心机在那里找了一份公务员的工作——"放纵，在我身上从没有成为一种习惯"，他在一封信中哀求说，他已经"彻底戒除恶习，不再反复"。但无济于事，他只好不幸地去做印刷学徒工。一个朋友到坡的家里拜访时发现，那位作家"正挨着饿"。

在坡纯靠卖文为生的时期，他在报纸上粗制滥造的文章似乎都被剥夺了署名的尊严，所以我们今天几乎无从得知他在那些月份里写了些什么。真令人沮丧而屈辱。而这也意味着这位美国文学史上古往今来曾经拥有过的文学天才，一段最特殊阶段的开始。

3 锦绣前程

到了 1838 年，坡写作和发表作品已至少有十一个年头——相当于一个传统行会工人从学徒到出师再到熟练工人的时长。随着他最近一篇短篇小说的发表，坡本人也意识到自己能力的成熟。他在十年后曾告诉编辑埃弗特·戴金克："《丽姬亚》毫无疑问是我写过的最杰出的短篇。"虽然他写了许多可一争高下的其他作品，但《丽姬亚》的确标志着他学徒期的结束——是他第一篇无可争议的杰作。小说发表于 1838 年 9 月号的《美国图书馆》杂志，是它，而不是其他作品，标志着埃德加·爱伦·坡作为一位伟大的美国作家的正式登场。

"说真的，当初我跟丽姬娅小姐如何相识，几时相逢，甚至究竟在何处邂逅，全想不起来了。"这个故事的开头，开启了一条娓娓道来的叙述线，详细叙述了身为鬼魂又死不瞑目的前任妻子，彻底侵占垂死又无力抗拒的后任妻子的身体的故事。《丽姬亚》卓越运用了一种技巧，用某种带着含混不可言传力量的祈祷笼罩了读者。事情已经"过去许多年了"，但我们并不知道究竟多少年；他们是在"莱茵河畔一个衰败中的古城里"相遇的，但他记不得是哪个城市；让人不敢相信的是，这个叙述者本人也没有名字，并承认自己从没听说过丽姬亚小姐姓什么。真正清晰呈现的，是狂野诡谲的背景描写——随风翻卷如有灵的帘幔；阿拉伯风格的地毯；埃及样式的石棺；怪诞的木刻——以及对细节的痴迷，比如微弱似幻觉的各种声音，还有那垂死妇人双颊上的微妙色泽。

《丽姬亚》回归到坡的两个标志性主题——生与死的临界状态和身份的变换——并延续了对于哥特式背景的精彩运用（即便是 1838 年，这种背景也已经诡异地过时了）。可是坡并没有取笑或者将其视为虚构小说的陈规旧习；直到两三个月后，他才在一篇讽刺文章《如何写"布莱克伍德式"文章》中大肆放谈一番。无论怎样，《丽姬亚》是坡首次通篇采用叙述者口吻的短篇小说，并且信任这种傲慢口吻。他从不干涉——不滑入自负清高的学究式调侃，不和读者暗通款曲，也不为了怪诞而怪诞。这种纪律严明的中性逻辑将成为坡在艺术上的一种标志，也是我们至今仍在阅读这些短篇小说的决定性特征。

并不是那年秋天他写的每个作品都能获此赞誉。那一季也见证了坡在他最不为人所知、最令人费解的古怪作品上的艰苦劳作：《贝壳学家基础手册》。

尽管坡在《丽姬亚》上取得了突破性成就，但他仍旧没有稳定的工作，《皮姆》挣来的钱也早花光了。正巧他朋友托马斯·怀亚特本人编了一本廉价的学生版《贝壳学手册》，急需一个挂名作者，而他的出版商哈珀与兄弟公司又坚持只发行高定价版本。怀亚特花了五十美元，买来坡的名字印在封面上——当然还包括一部分编辑工作——将那本《手册》改造成一本"新"书，彻底绕开了哈珀出版社。尽管坡急需这笔钱，但这个做法还是不太聪明——尤其哈珀也是坡的出版商。他和他们之间的合作机会再次被挥霍了。

不管怎样，坡冒充编撰的贝壳课本还是在 1839 年 4 月正式出版了，这单活儿也撞了大运，几周后他收到了一封信。威廉·博顿，一位很有文学抱负的喜剧演员，新近收购了当地一份火爆杂志《绅士杂志》，并重新取名为《博顿绅士杂志》，眼下正需要编辑，正中坡的下怀。

"今年余下的时间里，每周付你十美元，你看如何？"博顿提出，"每天工作两小时。我相信，除了特殊情况，这点时间足够你完成分内工作，而你的写作时间不会与此冲突。"

喜剧演员或许相信，一份月刊只需要每天两个小时就可以编辑完成，但坡经验丰富，对此更了解，可他还是接受了。他需要这笔薪水，而杂志上粗体印刷的那行字——"由威廉·E·博顿和埃德加·A·坡编辑"——也带给了坡渴望的荣誉。这份工作还给了他发表自己作品的平台——或许有点好过头，因为博顿立马就让坡兼顾所有的事情，从校对文稿到写补白文字到撰写书评。典型例子是，在刊有坡病态无力的杰作《厄舍古屋的倒塌》的 1839 年 9 月号上，还匿名发表了他的《户外运动与男子汉消遣》，文末署名是"一个经验丰富的实践者"。

这番自我吹嘘不完全是臆造的；坡暗示说他熟悉附近的巴雷特健身馆，这一点也和他青年时期擅长跑步和游泳相吻合。山姆·巴雷特是个拳击手，喜欢跟演员们打成一片；关于坡在费城一家演员酒吧里消磨时光的传闻也可谓沸沸扬扬。不过，他的老板本就是位星光熠熠的戏剧演员，那坡何不在工作之余跟大家一起到巴雷特的拳击沙袋上练两手？

虽然坡很恼火他老板的低俗举止和吝啬小气（一个朋友咨询博顿的杂志时他没好气地说："别订它。"），但是和博顿的合作还是带来比他乐于承认的更多的帮助。就在《厄舍》面世的同一个月，他的讽喻代表作《威廉·威尔逊》也在当地一家出版商的《礼物》年刊上发表了——杂志取了个乏味的名字《礼物》——坡和博顿是它最主要的撰稿人。这本满眼都是插图的年刊，是那位神经兮兮的出版商的镇店之宝，虽然坡蔑视它，但杂志在维多利亚时代广受追捧，也意味着他如今的读者群更广泛了。

他也是在写作巅峰时期找到了读者。《厄舍古屋的倒塌》在具体写法上和《丽姬亚》紧密联盟：含混的日期和哥特式的背景；罗德里克·厄舍那疯狂、敏感过度的心智；恐怖的生死混淆；以及那些墙体是否有生命的悬疑。而且，

《厄舍》里给我们讲故事的也是一个富有同情心的叙述者——平凡中见证不同凡响的疯狂，这一传统将贯穿美国文学，从《白鲸》到《了不起的盖茨比》，到《在路上》。

这个故事意外的与之前那本《贝壳学家基础手册》存在相似的伦理问题：坡正十分危险地喜欢从别人书上抄来借去。《厄舍》的故事高潮部分——背诵一本想象出来的古书，内容十分诡异地与厄舍外鬼魂般的声响暗相吻合——那是坡悄悄借用了 1828 年发表的《布莱克伍德》中的一则故事《抢劫犯之塔》。这很讽刺地暗合了那个海盗时代，或许连坡本人也不知道，《贝壳学家手册》和《抢劫犯之塔》双双不做声明地都调用了各自的早期作品。

《厄舍》和《威廉·威尔逊》的出版，令坡备受鼓舞，并琢磨着出版一部合集。《威廉·威尔逊》是一个纳撒尼尔·霍桑式的双重人格故事，良心泯灭的主人公残杀了折磨自己的同名人。华盛顿·欧文的来信是一次襄助："我很喜欢那个《厄舍古屋》的故事，于是想，一个合集，里面故事都写得这样好，是不可能不受欢迎的。"但是坡去找费城出版商李与布兰查德时，他遇到的是和之前几乎一模一样的回答：短篇小说集不挣钱。他们只愿意冒险印 1750 本——不久又把这个数字大幅削减到 750 本——而且坡的全部报酬是二十本作者样书。

印数虽然很小，但李与布兰查德出版社还是花了三年时间才卖光手上的这本库存书《怪诞与阿拉伯风格故事集》。

坡在诗歌批评方面严苛而纯粹，小说理念则变通很多；他在《怪诞与阿拉伯风格故事集》前言中几乎没有对书名中这两个词语的含义做出任何暗示，有人会冒险将其判定为明显的讽刺或者荒诞，与之相对的则是对心理恐惧更微妙和真挚的描绘。事实上，坡本人在前言中最清晰的立场是提醒读者注意他对民族主义的蔑视。他用一句非常有名的话，将那些用时髦用语"德意志精神"品评他的哥特式作品的批评家们全都拂到一旁："我坚持，恐怖无关乎德意志，而是关乎精神。"

但他的书并没有挣到钱，相反，因为给朋友们邮寄样书还贴了不少。甚至当《故事集》终于在 1839 年年末到达书店时，坡在可能最不特别、最缺少阿拉伯风格的地方干起了匿名炮制劣质作品的营生："世界上最大、最便宜的家庭报"《亚历山大每周信使报》。它的姐妹出版物包括绝对非德国风格的《养蚕人与农场主手册》和《亚历山大尊贵版圣经》。坡在报纸上用自家猫的各种本领取悦读者——"世界上最了不起的黑猫"——他喋喋不休，为了让大家记住黑猫都是女巫，它的女巫本性似乎首先表现在能打开坡的厨房门上。

坡还对《亚历山大报》读者们施放另一种恐怖：恶搞双关语。

Why does a lady in tight corsets never need comfort?

Because she's so laced — *solaced*.

（为什么穿了紧身胸衣的女士从不需要舒服一下？

因为她已经舒服了——被捆住了。）1

不过，更合他口味的是报刊上正在兴起的猜谜和破解密码游戏。坡向《亚历山大杂志》的读者发起挑战，邀请他们出些替代密码题目来难倒他。替代密码就是用字母、数字、符号等交替编码组成秘密信息，"我们承诺，无论多不寻常、多古怪的字母密码我们都能立刻破解，"坡夸下海口，而他的胆识引来了洪水般的题目。接下去的六个多月里，他破解了将近一百道密码题，还挑衅读者说，"只要是人脑编出来的密码就没有解不开的。"

他的第一道读者来稿题很典型（他嘲笑说："一点难度都没有。"），而既然那个神秘信息本身就是一个谜语，其最终答案是一个了无趣味的嘲弄，供坡欣赏了一番：

85o;？9

O 9?？9 2ad; as 385 n8338d- ？†sod-3 -86a5；-8x8537 95；

37od；o- h-8shn 3a sqd？8d- ？†-og37 -8x8539 95；sod-3 o- 9 ？

---

1 昔时，女士们穿的紧身胸衣要锁住身体，是不大舒服的，而原文中的"so laced"（捆住）两个词合在一起则变成了"solaced"，意思是"舒服的"，所以，原文利用"捆住"与"舒服的"的谐音制造出诙谐幽默的双关语。

o-i7o8xah- 95o？9n？†5o537 -8x8537 95：sod-3 o- 378 n9338d-

858？†？†38537 -8x8537 95：sod-3 -h！！ads3- nos8 ？†sahd37

sos37 -8x8537 95：-og37 o- 9 sdho3 ？†sahd37 sos37 95：8o；

737 o- 9！a28dshn o？！n8？853 ？†27an8 o5：otg38- 9 2o38 ？

95

坡破解的版本是：

ENIGMA

I am a word of ten letters. My first, second, seventh, and

third is useful to farmers；my sixth, seventh, and first is a

mischievous animal；my ninth, seventh, and first is the latter's

enemy；my tenth, seventh, and first supports life；my fourth,

fifth, seventh and sixth is a fruit；my fourth, fifth, and eighth is a

powerful implement；my whole indicates a wise man.

The answer is "Temperance".

（谜语：我是一个有十个字母的词。其中，第一、第二、
第七和第三个字母合在一起是个对农夫有益的东西；第六、
第七和第一个是种淘气的动物；第九、第七和第一是后者的
天敌；第十、第七和第一能维持生命；第四、第五、第七和
第六是种水果；第四、第五和第八是种强大的工具；整个词
语表示的是一个智慧之人。答案是：节制。）

坡很早就展露出推理游戏方面的天赋，早前还在《南方文学信使报》上发表过一篇论文《梅泽尔的棋手》，文章有条不紊地拆穿了一个假冒的机器人棋手骗局。但是，洪水般涌来的谜题令坡难以招架，他在一篇专栏文章中自嘲地写道："人们当真以为在这世界上我们除了破解图形文字密码，就无事可做了吗？"

他的确是忙得无暇解题：1840 年 1 月起，《博顿绅士杂志》就开始连载坡的新小说《朱利叶斯·罗德曼日记》。这是一部枯燥乏味的"皮姆西行记"，理所应当地和《波利希安》一起名列坡最少人问津的主要作品列行。他从未公开炫耀自己和罗德曼日记的关系，但是《尼克尔包克尔》杂志当即看穿了伎俩："我们认为，我们在其中发现了《绅士杂志》常驻编辑 E. A. 坡的聪明手法。"

众人不需要很久就能咂摸出作品的滋味；在坡听说博顿要出售《绅士杂志》的计划后，他开始散发创刊说明书，为自己要创办的《佩恩杂志》打广告。杂志许诺是一份月刊，不会有任何欧洲标题那种"打诨、谩骂或亵渎的气息"——坡还为自己过去作为书评人的出格举动道歉——新杂志的"形式会很接近《尼克尔包克尔》；纸张会等同于《北美评论》"。这些可都是纽约、波士顿最为成功的杂志，因此在费城创办一个和它们相对等的杂志，将是对《绅士杂志》的直接挑战。当博顿听说坡要创办一本对手杂志的计划后，当场就解雇了他。

这两个人在同一间办公室里待了一年多，彼此都不能容忍对方的火气。博顿称坡是酒鬼，坡称博顿骗子，而这两个名号都给出充分的理由去促发一场流血冲突。

"你那些欺凌我的企图在我心里几乎激发不了任何波澜，除了好笑……"坡嘲笑博顿说，"如果你脑子抽住了，以为侮辱我可以免遭惩罚，那我只能假定你是个笨蛋。"

不过，终究是坡对推广《佩恩杂志》的迫不及待占了上风。《博顿》杂志直到10月份才找到买主，所以坡原本可以在他下岗前再挤出六个月的时间，从事至关紧要的编辑工作。可他把1840年的大部分时间都用来发行《佩恩杂志》上了，而且杂志的正式出版先后因为资金不足和他本人生病而一拖再拖。《朱利叶斯·罗德曼》因为他遭解雇而停在了半道上，并最终放弃。那一年，坡也没有写出其他任何值得注意的作品，除了《人群中的人》，这个讽喻性的偷窥故事弥漫着都市人的寂寞感和现代社会的无名特征。但是，自1841年起，坡的运道变了；他声称还有一周时间就可以把杂志第一期交给印刷商印刷了。

"您希望了解《佩恩》的前景，"他给一位订阅者的信中说，"前景辉煌。"

事实并非如此。2月4日，一起银行挤兑事件导致商业信贷崩溃，《佩恩》出版的所有机会化为乌有。不到两个星期后，乔治·格雷厄姆，也就是买下博顿的杂志并重新起名叫《格雷厄姆》的买主，给读者们带去一条喜忧参半的消息：《佩恩》完蛋了，但坡将回来担任《格雷厄姆》的编辑。读者不详的则是，坡还随身带去一个了不起的短篇——用他的话说"里面带了一种新调门"，可能原先计划在《佩恩》上首发的。读者们行将成为文学史的见证人。

坡在1841年4月《格雷厄姆》杂志上发表的文章开头写道："并非不可能的是，颅相学再向前发展几步就会带给世间一种信念，即人体器官分析是真实存在的，即便不能说出具体的发现和位置是什么。"他注意到，一个器官分析能力很发达的人，同样"喜欢猜谜语，解难题，破译象形符号——在他的一个个解答中可以窥见他的敏锐，而这在普通人看来是不可思议的"。

《格雷厄姆》的读者很可能没多想，以为坡在说他自己。他也的确想重启与读者们的密码对战，并在一封信中吹嘘说："只要给我时间，没有任何人脑想出来的密码是我解不开的。"然而，坡的这部《莫格街血案》的开篇确实无关他自己，而是关于他最伟大的文学人设：C. 奥古斯特·杜宾，一位业余侦探。

如果说某个文学门类是由某位作家创造的话，这个作家就是埃德加·爱伦·坡，这个文学门类就是侦探小说。诚然，侦探小说从伏尔泰到十三世纪的中国文学都各自有其源头。但是坡小说中这段靠抚恤金生活的巴黎母女被双杀的故事，其营造出的神秘和恐怖，意味着现代侦探小说的传统就此迅速而完美地亮相了，让人难以置信。古怪孤僻的主人公，向正经又迷糊的助手炫耀自己推理能力的垫场花絮，困扰于矛盾线索的勤奋但缺乏想象力的警察，无法进入的犯罪现场"反锁着的房间"，在客厅与嫌疑犯戏剧性地面对面——一应俱全，成熟定形，就像成年雅典娜从宙斯的头颅里跳出来那样。

　　当然，这篇小说也有现实中的血缘关系。除了心爱的解谜，坡在前一个十年还目睹了真实案件报道的兴起，詹姆斯·克提斯的奠基之作《玛丽亚·马丁谋杀案》（1827），和1836年詹姆斯·戈登·本内特的《纽约先驱报》对海伦·朱厄特谋杀案的报道。但是对这篇小说产生最直接影响的是世界上第一个现实中的私人侦探——尤金·弗朗西斯·维多克[1]，一位法国前罪犯，他将自己的犯罪经验有效运用到法律对立面的职业盗窃案侦查中。坡特别留意维多克那本充满离奇幻想的《回忆录》（1828），并从其中找到了杜宾这个名字——接着诙谐地让他笔下的这位巴黎侦探弱弱地称赞维多克是"一个优秀的猜想家"。

　　就开创世界上最受欢迎的小说门类而言，《莫格街血案》绝对是十九世纪影响最大的短篇小说。坡意识到自己写出了某种特别的东西，虽然想象不出它特别到什么程度。

1　维多克（Eugene Francois Vidocq，1775—1857），法国侦探家，世界上第一位私人侦探，现代犯罪学、侦探术奠基人。爱伦·坡、大仲马、巴尔扎克、雨果、柯南·道尔等都曾以他为原型塑造过笔下的英雄人物。

当他漫不经心地起草计划，打算再出一本新小说集《幻想故事集》时，《莫格街》被放在了首篇，但这个计划最终也只停留在纸面上，没有真正实施。《莫格街》发表后收到了一些热情的称赞，而其真正的重要性要在之后几十年里慢慢显现。

坡继续为新的编辑工作而忙碌。尽管在格雷厄姆手下比在博顿那里干活轻松些，但他还是再度身陷于撰写评论、破解读者的密码题，以及为名家签名的跨版栏目收集签名等杂务之中。不久，他就得到机会去面见名家了。1842 年查尔斯·狄更斯路过费城，坡逮住机会去见他，把自己的书作为名片递送到两个街区外合众国大酒店狄更斯的客房。

两人见了两次面，狄更斯不仅慷慨允诺帮助坡在英国找出版商，还顺便提及一段趣闻。在聊到 1794 年出版的小说《卡莱布·威廉斯》时，狄更斯对坡沉吟道："你可知道，这小说是葛德文倒着写的吗？——先写最后一卷，"并指出作者本人"等了好几个月才找到办法，搞明白自己之前都写了些什么"。

这种倒构法是作家们很娴熟的一种手法，坡对此很了然。后来，他给自己的侦探小说安上"推理小说"的名称，并思忖说："人们都爱自作聪明——从自己的思考和表达出发。比如《莫格街血案》中，从何处着手才是解开你自己（作者）编织的网络的妙招？读者把爱做假设的杜宾的智慧和小说作者的智慧搞混了。"

　　不过，即便坡本人也在自己新创的文学门类上意外绊了一跤。1842年春，他着手写《莫格街》的续篇——这是他第一次尝试写续篇，也是第一次运用人物再现法。和《波利希安》一样，他的原材料还是真实发生的案件，源于一年前玛丽·罗杰斯的离奇死亡。玛丽被大家亲切地唤作"美丽的雪茄姑娘"，她是曼哈顿一片作家们经常光顾的商店的店员，说不定坡本人也去过。她的失踪，以及三天后尸体在哈德逊河中被发现，在媒体上激起了无奇不有的广泛讨论，从黑帮暴力到警察破案无能等等。在《玛丽·罗热疑案》中，坡将案件现场移到了杜宾所在的巴黎——并笔锋突转，承认玛丽·罗杰斯谋杀案与本作品不相干，两者只是"几乎难以解释的巧合……所有了解纽约玛丽·塞西莉亚·罗杰斯被谋杀一案的读者都明白这一点"。

　　和最早期的作品一样，坡对自己的虚构才华缺乏自信，再度求助于令人心神烦乱的荒诞手法。这是一种叙事方式上的替代密码，如果是由哪个读者寄来，坡肯定会嗤之以鼻。不仅如此，这个故事还有其他问题。有人认为它根本不构成一个真正的故事——完全是杜宾发表的一篇演讲，里面充斥着一家又一家报纸关于该案的报道，把故事弄得千疮百孔——这是一场学究气的谩骂，其腔调和坡作为评论员时候的谩骂攻击非常接近，令人窘迫。

　　如果说《莫格街》的成功为侦探小说做了很多铺垫，《玛丽·罗热》则是侦探小说的失败。《莫格街》尽管将恐怖的双杀案作为主题，但也具备出人意表的机智和温度；比如它的人物互动，案发现场勘察，以及置于台前的嫌犯帮凶让人大呼过瘾的对质。可这些在《玛丽·罗热》中都没有。甚至杜宾的没有名字的助手也无所事事，除了在故事中间部分的两句话："'那么，'我在此问道，'你怎么看待《商报》的意见？"然后是三四页之后的一句："'那我们该怎么看待'，我问道，'《太阳报》上的那篇文章'？"助手没有成为读者疑问和解谜的代理人，小说就没有任何地方供读者参与了。

但《玛丽·罗热疑案》仍然在文学史上拥有特别的一席之地：正如《莫格街》标志着第一篇现代侦探小说的发轫，本篇小说则开创了第一个侦探小说系列。但是世界上的华生医生们会很满意地发现，甚至埃德加·爱伦·坡也发现了，如果没有助手，就只剩下探案又没在探案的小说。

在坡的全部事业狂想中，他始终拥有着家庭温馨的安全感，有弗吉尼亚和姑妈作为依靠。但是，1842 年初，有一次妻子在客厅的钢琴上弹唱，突然剧烈咳嗽，带出鲜红的血块。富含氧气的血从弗吉尼亚的肺部咳出，无疑是个可怕信号——令人惊骇的肺结核初期。

"我可怜的小爱人生病了，很危险，"坡在给一位朋友的信中说，"差不多两个星期前，她唱歌时一根血管破裂，医生们直到昨天才告诉我有康复可能。你可以想象我经受的痛苦，因为你知道我是多么全心爱她啊。"

1842 年 4 月，坡交出了一篇城堡被瘟疫毁灭的自况之作——《红死病魔的面具》——然后就辞去了《格雷厄姆》的工作。他起初摆出一副勇敢的姿态面对辞职，重又追逐起《佩恩》的缥缈幻影，嘲笑《格雷厄姆》说，"我辞职是出于对它矫揉造作风格的厌恶……那令人鄙视的插图、时髦的图板、音乐，以及言情故事。"可是暗地里，他向老家一位老友给出的则是另一个版本：他透露说，自己集中精力的能力被"我妻子那不断反复且毫无希望的疾病"彻底打垮。1842 年仲夏，辞去《格雷厄姆》的工作还不到十周，坡已经在考虑破产的可能——因为就在几个月前，国家的第一部现代法律生效，债权人在疯狂地游说要颠覆它。坡非但没有立刻行动，抓住这短暂的债务赦免窗口期，反而再次酗酒；有个说法是，他曾彻底消失了两三天，最后在泽西城外的荒野里被人看见"像个疯子一样游荡"。酗酒不是他的新问题，如今因为弗吉尼亚的病又大大加重了。

"她的生命没有希望，"他后来解释说，"我将和她诀别，并承受她的死所带来的全部痛苦。她每有一丝好转我就升起一丝希望，总是每隔一段时间就这样反复一次，反复——反复——反复……中间是漫长的恐惧，我快发疯了。意识恢复的间隙，我喝啊，喝啊，只有上帝知道我到底喝了多少回，喝了多少酒。"

他被带回了家，清醒了过来，发现自己比之前更不可收拾。"我太需要钱了，"他在给一位出版商的信中说。

这种绝境导致了一篇粗制滥造的作品——一个比《布莱克伍德》还要"布莱克伍德的"的故事。坡有足够能力模仿那些耸人听闻的"绝境"故事——他曾经写道："如果你曾经溺水或被吊过脖子，好吧，记下你的感受——每页值十基尼。"——他知道这样的文字很好卖，所以他在《陷坑与钟摆》中创造了一个惊心动魄的故事。这是一场华丽的炫技，在西班牙宗教法庭那阴暗的地牢里上演，地牢里的折磨在不可思议地不断加剧（饥饿、口渴、老鼠、火烤、移动的墙体、肢解）。叙述者紧迫感受到周边的危险——悬在身上的钟摆刀片的嘶嘶声，它擦过脸部时散发的"锋利钢片的味道"，只喂辛辣食物却不给水喝的感受，以及他透过双手从牢房的金属墙体背后的火堆传过来的不断加强的热度。

卖掉这篇故事是对的：他在那个季节完成的另一伟大作品《泄密的心》则经受了另一种该诅咒的命运，那是坡艺术最完美的一件。故事没有时间和地点，实际上什么也没有，除了一张床、一个枕头、一盏灯、木地板和受害者——谋杀案中最最基本的元素。受害者全文只说过三个字（"那是谁?"），而有趣的警官们则一句话都没有，因为我们陷入了第一人称现在时叙述的牢笼，叙述者是一个极端利己主义的疯子，却声称自己绝对心智健全……即便他的罪行毁掉他的感官也不为所动。

　　这是对疯狂状态的令人不适的模拟，可以在任何时间任何地点发生——至少1842年的波士顿得以幸免。《泄密的心》被《波士顿汇编》的编辑冷冷地拒绝了，编辑嘲笑说，"要是坡先生能屈尊提供一些更加沉静的作品就好了。"这是坡之前尖刻评论结出的苦果：一年前，他曾公开鄙视这位编辑的作品"单调乏味难以忍受"。于是他把稿子卖给了一家新创办的杂志《拓荒者》，在该杂志第一期上占据了最主要位置，但没有得到稿酬，因为《拓荒者》的出版人詹姆斯·拉塞尔·洛威尔[1]生病了，杂志应声倒闭。

　　坡这次一反常态，没有坚持要稿酬。"至于您欠我的那几个美元……我可能穷，但真的，如果还想着问你要钱，那我一定会更穷。"他向洛威尔保证。因为在洛威尔身上，他同样看到自己的困境：在坡顶着妻子病重的压力挣扎着重启《佩恩》杂志的节骨眼上，这可是个可怕的凶兆。他给自己的杂志改名为《铁笔》，并重写了创刊词，只是坡此时亟需的不是一份新杂志，而是稳定的生活，这是写作无法给他的。

　　他亟需的，说白了，是一份办公室工作。他的心思转向了前一年的一封朋友来信。

　　"你觉得怎样，"作家同行弗雷德里克·W·托马斯曾从首府华盛顿给他写信，"到这里来坐办公室，每年1500

---

[1] 詹姆斯·拉塞尔·洛威尔（Robert Lowell, 1819—1891年），美国著名作家、批评家、编辑，代表作有《比格罗诗稿》。

美元，由山姆大叔逐月支付。无论山姆大叔对自己的普通债权人有多懈怠，但对自己的官员都严格守时，说到做到的。您觉得怎样？早晨九点过一点晃去办公室，午后两点一过就可以晃回家吃饭，而且不必再回去了。"

坡的确非常喜欢这样的工作：这样有保障的职员收入将是他在《格雷厄姆》杂志收入的两倍，而且听上去还像艺术家一般悠闲。托马斯是泰勒总统儿子的朋友，有可能帮埃德加搞定的是一份海关工作。于是 1843 年 3 月 8 日，埃德加·爱伦·坡离开费城，带着面试者的忐忑与希望，去找这份新工作。

可是每当一紧张，坡就会酗酒。

到宾馆不久，麻烦就来了。托马斯病倒了，更糟的是，有差不多一千二百份申请谋求这份海关工作。在一个陌生城市，要单靠自己做谋划，让坡当即崩溃。

"第一晚他蛮兴奋，被人劝了一点波特酒[1]。"一个朋友写道。第二天醒了又开始喝，醉醺醺地反穿着外套，辱骂托马斯及其他潜在的盟友——还铸下大错，取笑一位编辑的短髭。有个熟人回忆自己碰巧在华盛顿街头遇见他，他"浑身脏兮兮的，愁眉苦脸……说从前一天起就没吃过东西，还求我借他五十美分买顿吃的"。

坡的另一位朋友杰西·道至此也已经受够了。

---

1 波特酒（Port-wine），又称"钵酒"或"砵酒"、"波尔图酒"，是葡萄牙的加强葡萄酒，酒精度 20 度左右。

"我想，把他安全护送回来是明智之举，"道给费城的一个出版商写信说，"坡夫人健康状况糟糕，所以我命令你，既然你要拯救自己的灵魂，在他和你一起回到他家之前，有关他的情况你一个字都不许提。"

坡痛心疾首地回到费城家里后，写了一堆尴尬的道歉信——"只字别提我把外套里外反穿的事，或其他类似的小过错……原谅我的毛糙脾气，不要相信所有我说过的话"。如果他得到了那个公职，坡承诺，他一定会加入一家戒酒会，并开玩笑说："把一个人从薄荷朱莉酒——还有'波特酒'——的危险边缘挽救回来，对泰勒先生来说，不过是他帽子上的一根羽毛；他可是全世界公认的非常杰出、他本人也认为卓越非凡的年轻人。"

然而，他仍在酗酒。《铁笔》杂志的合伙人撤回了资助，坡只好把家搬到了市中心更逼仄的地方，那儿有位好心的房东降了些房租。姑妈玛丽亚努力让屋子整洁起来，还喜滋滋地在门外种了些花草，可是坡还在黑暗中跋涉。

"对邻居们来说，他的名字没有什么意义，"数年后，坡成名了，一位当地人回忆说，"我们觉得很遗憾当时没有多照顾他。"但当时也没什么值得照顾的，她承认说。坡形容憔悴，成天板着脸："他，他妻子，克莱姆夫人都不和人交往，很矜持——我们觉得这是因为他们穷，还有他急需要取得成功。"

自从十年前，坡被剥夺约翰·爱伦的财产继承权以来，眼下正是他生命的最低谷。而现在和那时候一样，拯救即将到来，就等他打开一份当地报纸，发现一则比赛公告：

奖金甚丰，绝不打诨。

《一美元报》，第一眼看上去不会给人深刻印象，更何况对于声称《格雷厄姆》"非常矫揉造作"的这一位。它刚在费城创刊，是"一份家庭周报"，将嘉年华会上招徕客人的吆喝——服务于"农民、技工、商人、体力劳动者和专业人士……企业家和有闲阶层，贵夫人和女仆……政界人士、科学家还有政治家"——和"相当便宜"这一很掉价的承诺结合在一起。这个出版物的确很火爆，坡也的确很明智地提交了一篇作品去参赛，因为 1843 年 6 月 14 日这一期骄傲地宣布，他们"奖励一百美元给获得一等奖的《金甲虫》……作者是本市埃德加·爱伦·坡先生——评委会一致认为这是一篇精彩至极的小说"。

这是一个很恰当的决定。《金甲虫》跟《一美元报》很贴，很符合大众口味。这是一篇讲述南卡罗来纳州一位古怪绅士的故事，他发现了基德船长隐匿的宝藏，故事里有满足所有人需求的东西：一个海盗故事，骷髅头，藏宝箱，隐形墨水书写的密码、字谜，还有额外的福利画谜，以及一个分不清左右手的奴隶表演的低级种族喜剧。

就在几个月之前，坡还在向朋友抱怨说："我浪费了很多时间，那可就是钱，我可以破解密码，价值超过一千美元。"但在《金甲虫》里，他破解谜题的能力得到了回报——因为故事围绕着一个频率分析解码法展开，相当于他在《亚历山大每周信使报》写了一篇专栏文章，尤其相当于坡把自己作为一名专栏作者的某些思考通过笔下人物之口说了出来。坡的这番天才大爆发，甚至把海盗和谜题挑战也结合到一起，很可能是受前一年对于基德船长的轰动报道的启发。一则荒诞的消息说，有个女子声称自己是基德船长的妹妹，要求享有基德宝藏的法律权利。"如果这位女士真是基德船长的妹妹，"一份报纸逗乐道，"那她此时一定高寿无比，因为给她带来希望的哥哥在一百四十一年前就切切实实被绞死了。"

《金甲虫》本身就是名副其实的基德财宝箱：奖项颁布一周内，头条新闻都在报道"头奖故事争夺战！"《一美元报》奋力拿下了故事版权，并迅速展开第二、第三次印刷。有位专栏作家宣称那故事是"一个十足的骗局"，于是坡小题大做地威胁要扭他上公堂，这一来进一步扩大了故事的名声。诉讼根本没进行下去，但是接下来的六个星期，几乎所有哗众取宠的手法轮番上演了。《格雷厄姆》迅速推出一个现炒热卖的小册子，取名"《埃德加·A·坡的散文罗曼司》第一卷"，当然他们绝不会去出第二卷；费城美国剧院匆忙上演了戏剧《金甲虫》；一家巴尔的摩商店更是打广告推出一款"金甲虫"彩票，声称有一个赢家是在梦到坡的故事后锁定了一笔小财。

根据坡自己的估计，《一美元报》，加上盗版，共计印刷了三十万本《金甲虫》，但没有授权的印刷对坡的经济状况毫无帮助。到 9 月份，他沦落到了要求穷困潦倒的詹姆斯·洛威尔付给他《泄密的心》的稿费的地步——这可是他曾许诺过绝不这么干的极端情况啊，何况他已经巧妙地回收利用了这个故事，将之改写成《黑猫》，并在几周前发表了。《黑猫》重演了《泄密的心》中第一人称的疯子叙述者，并演化成一个情节类似的室内谋杀故事。但即便它发表了，加上洛威尔七拼八凑寄给坡的五美元，坡还是捉襟见肘。他不得不把《金甲虫》取得的成功刻不容缓地转化为一种全新的收入渠道：开讲座。

自坡离开弗吉尼亚大学后的十五年里，教育在不断发生变化，最显著的就是学术讲演运动的兴起。这是一种非正式的学术巡回讲演，主讲人是游走四方的作家和学者。在大学教育依然匮乏的年代，这是一种供美国人加入当代知识讨论的途径——当然，组织者们还希望能借此让国人远离小酒馆。当坡登台开讲，发现自己进入的是一家戒酒会时，会作何感想，我们只能私下揣测；无论怎样，他还是兴致勃勃地开讲了，首次登台是当年十一月的费城，主题是美国诗歌。诗歌批评是他永不疲倦的终极话题，即便广告上称其为"《金甲虫》的作者云云"。对坡来说，那个"云云"首先是诗歌，同时还有对劣等诗歌的鞭挞。

"除了偶尔的吹毛求疵，此次演讲理所应当有太多的个人色彩，但总体上令人满意，"费城一家报纸在那一周报道中指出坡对与批评家们彼此吹捧的行为尤其蔑视，"P先生拆穿了那种几乎无处不在、不分青红皂白互唱赞歌的现实，不分良莠，一概说好话——'从诺亚·韦伯斯特[1]精致至极的四开本巨作，到几分钱一本的汤姆·萨姆[2]童话故事书。'"

坡在其他城市成功复制了那场演讲，到 1844 年春，他已经绕着附近的诸多中大西洋沿岸演讲场所走了一圈；可如果再走远，会远离姑妈和病中的妻子，而他在华盛顿度过的失魂落魄的一周已经表明，那样会很危险。相应地，那年春天，坡向编辑们展现了他最精致的侦探小说应该有的模样：《被窃的信》。

在标志性的创新作品《莫格街》和意外死胎《玛丽·罗热》之后，坡这个最新的短篇代表了形式上的一种完美——表现出侦探小说不仅可以重复，而且还可以作精妙的改编。在讲述一位狡猾的政府部长隐藏了一份偷来的文件时，坡终于管控住了主人公杜宾周围的各色人物。原先在《莫格街》里被轻松打发的地方警察局长，在此变成了侦探小说中不可缺少的原型：一位墨守成规的警长。助手虽然还是没有名字，但赋予了他真正的对话能力——包括

---

1 诺亚·韦伯斯特，1758—1843，美国词典编纂家，英语拼写改革家，代表作是《韦伯斯特大词典》。
2 汤姆·萨姆，Tom Thumb，英国童话故事人物，只有他爸爸的拇指一般大小。《汤姆·萨姆纪传》1621 年编辑出版，是英国第一部童话故事书。

对来访的警察局长的问询，这表明杜宾和他的助手正在形成真正融洽的侦探拍档：

> "请讲，"我说。
>
> "或者不讲。"杜宾说。

坡从《玛丽·罗热》情节设计的失败中，从《金甲虫》对于人物的成功刻画中学会了很多。现在，整个故事都无可阻挡地走向结局，杜宾的宣讲也大为克制——在警察局长、助手和他一起来到案发现场后。坡明白自己取得的是何等成就，他在不久后给詹姆斯·洛威尔的信中承认："即将在《礼物》杂志上发表的《被窃的信》，或许是我最棒的推理小说。"

坡使用的术语"*推理*"（ratiocination）一词 [1]——即推断、分析并解开谜团——的确居于《被窃的信》的核心地位。对那些将其故事与刺激性的血腥和精神错乱作简单关联的人而言，本篇故事是一个关键性揭示。确实，《莫格街》以双杀案为主体，其中一位受害者甚至被直直地塞进烟囱，但那并非故事的实质。《被窃的信》中根本没有直接

---

[1] 推理，ratiocination，法语单词，来自拉丁语 ratiōcinātiō（包括立论、论证、推理的三段论），由 ratiōcinātus（测算）加字尾 tiō（一些或一个行为造成的结果）组成。十九世纪英国哲学家密尔（1806—1873）在其著作《逻辑系统》之"推理和归纳"一节中，将推理和归纳区分开，并发明了著名的"密尔推理归纳五法"。坡首次将"推理"一词及方法引入了文学创作和理论。

的暴力展示——除了小施威胁，或许再加上屋外那声空包弹所引发的分心。故事里的这一行动，如其所是，促发你往后再翻几页。

杜宾的推理过程——就像《莫格街》里那样，将谜团与游戏作详细的比对——这是小说中最简单有力的目的之一。令人好奇的是，其目地与暴力或感官刺激毫无关系。它将无序带向有序，将貌似的无解带向因果关系。这就是为什么，无论故事里是一纸文件还是一具恐怖的尸体，神秘故事的读者们自此以后都将这类小说的经典形式和一种满足好奇心的舒适感联系在一起。这种快感和解开谜语的感觉是一样的。

即便坡没有写过其他东西，他在文学史上的地位依然稳如磐石。由于《被窃的信》，他已经展现出侦探故事绝非偶得，而是一种极其丰富多变、让人紧追不舍的故事模式的滥觞——它会成长为世界上最受欢迎的文学类型之一。而且，和许多处于事业巅峰的作家一样，坡很清楚自己的道路将不可回避地通向何方：纽约。

4　美国莎翁

我们不经常能代入地去想象埃德加·爱伦·坡的生活，但有那么一个日子，我们可以真切勾勒出来，那就是 1844 年 4 月 7 日。那是格林威治村一个宁静的早晨，新上市的报纸说，"昨天的立法讨论没有得出哪怕最微小的结果"；唯一能找到的兴奋点，是几个街区外的 P. T. 巴纳姆美国博物馆与永久市集[1]，他们打出的广告语是"兰德尔先生和夫人，世界上最庞大的巨人！和女巨人！！"

坡这时正心满意足地享用一顿丰盛的寄宿舍早餐——"美味绝伦的咖啡，热而且浓——奶油不多不少——煎小牛排，精致的火腿，鸡蛋，美味的黄油面包"，妻子弗吉尼亚则在缝补他的长裤，那是他在一颗钉子上挂坏的。他想打发掉一点时间，就给姑妈玛丽亚写了一封信，谈谈这座令人惊叹的大都市。这封信或许是他写过的最唠叨、最热情

---

1 巴纳姆美国博物馆由著名马戏团艺人 P. T. 巴纳姆在纽约创建，1842 年 1 月 1 日开馆，上下五层楼，集动物园、博物馆、讲堂、蜡像博物馆、戏剧和怪胎展于一体，是美国当时最有名的流行娱乐地标。截止至 1865 年被一场著名的大火烧毁，累计有 3800 万人次游客，1860 年美国总人口不到 3200 万。2000 年 7 月该馆在互联网上重新启动。

的一封，从中可以窥见这个人，而不是这尊偶像的一角。

"到达码头时，天正下着大雨，"他在写他们到达曼哈顿时的情形，"我把箱子都堆在女士舱室，把她也留在船上，然后去买把伞，找下寄宿舍。我遇到一个卖伞的，花62美分买了一把。接着我走到格林威治街，不久就找到了一家寄宿舍……宿舍有点旧，看上去怪里怪气的——房东太太则是个友好健谈老派的老太太……她丈夫和她在一起——一个胖胖的、好脾气的老灵魂。"

他没有忘记留在家中的那只猫卡特琳娜——"如果凯特看到——她会晕倒的"——他还对便宜的房租感到吃惊（"考虑到它所处的中心位置，这是我所知道最便宜的膳食费"），还有房东太太提供的堆积如山的蛋糕（"这里不用担心会挨饿"）。这对一位移居纽约的作家的雄心壮举来说，是个充满希望的开始，他还愉快地向玛丽亚姑妈保证，他和弗吉尼亚一定会好好生活，一旦有了钱就请她也搬来曼哈顿一起住。

"我很振奋，没有沾过一滴酒。"他补充说。

弗吉尼亚的肺结核病也暂时平稳（"她几乎不咳嗽了，夜间也不再盗汗不止"），他们着手寻找更长久的住处，最后落脚于邻近84街和百老汇大道的一处农舍——一个价格低廉的乡间区域，相当偏远，周边被两百英亩大小的牧场包围着。他一边游荡在曼哈顿未来的中城与上城地区，一边孩子般划一艘单人小艇在哈德逊河上徜徉，坡心里明白，这片乡村不会存在很久。

"我凝望那雄伟的崖壁，肃穆的森林，每当它们出现在我眼前，都不免为它们的命运叹一口气——不可幸免、瞬息即逝，"他预言道，"二十年，最多三十年，我们能看到的最罗曼蒂克的景致恐怕只能是船舶、货栈和码头了。"

事实上，哈德逊河已经因为寻宝人而忙碌起来。在《金甲虫》大受欢迎后，一群打捞队员宣布，他们在哈德逊河三十英尺深的水底发现了基德船长的沉船残骸。"他们已经采购了一部巨大的潜水钟和专供工人穿戴的全套水下装备，用来挖掘、打捞的设备也准备就绪，"一家纽约的报纸宣称。打捞方发行了大约五十万美元的投资股票，坡很清楚这个投资情况，可他太穷了，一股也买不起。这反倒成了好事，因为打捞公司本就是一帮骗子；他们在河里投了一些手工艺品，"找到"它们，然后卷走轻信的纽约人不多的储蓄。

不过，坡已经在自己的作品里有了他心中的骗局。

"惊人消息！来自诺福克的快报！三天横跨大西洋！蒙克·梅森飞行器的伟大成功!!!"《太阳报》1844 年 4 月 13 日的头版在咆哮。根据他们的描述，八个英国人，包括著名的飞艇驾驶员蒙克·梅森和当红作家哈里森·安斯沃斯，一起乘坐巨型飞船"维多利亚号"横跨了大西洋。"大问题终于解决！"报纸在头版的长篇报道中欢呼，"和陆地、海洋一样，天空也被科学征服，成为人类一条常规便捷的快速通道。"

纽约人都为之晕倒了，可这项伟业很久前就实现过了。

早在 1800 年，纽约的报纸就报道过，法国将有"一个气球大队不久后飞往美国"。1835 年，曼哈顿人又得到消息说，一个气球飞行家将驾驶一艘"空中小艇"从曼哈顿市中心出发横越大西洋，而就在最近几个月，费城气球飞行家约翰·怀斯则宣布了新的飞行计划。即便如此，成功飞行的消息——"在人类曾经实现或尝试过的行动中，毫无疑问是最令人惊叹、最有趣、最重要的举动"——令无数纽约人欣喜若狂，至少就坡的描述看，"《太阳报》大楼四周的广场被围得水泄不通……我从没见过为了买一份报纸会如此热烈亢奋。"

当然，这是个彻头彻尾的骗局。

纽约人没有上当很久：虽然坡的名字没有在故事中出现，但有关"维多利亚号"将在萨利文岛着陆的报道泄密方式，仍和他在《金甲虫》中设计的机关一样。不过他来到这个城市仅仅一个星期就搞出的这个骗局，成为他一张精美的名片，即便坡略为恼火地发现，自己只是同一家报纸几年前理查德·洛克·亚当斯制造的那个《月球骗局》的小小注脚。"骗局的得逞常常归功于其完美无缺，"他后来指出，"《气球故事》本身没有漏洞，并且所讲述的事件中没有一件不会真的发生，之所以不很成功是因为《太阳报》之前炮制过太多骗局，人们不再相信它了，特别是性质类似的故事。"

坡在纽约谋生仍不得不依靠报纸和杂志，他曾经满心希望查尔斯·狄更斯能帮他在伦敦找到一家出版商，但毫无下文——而且永远不会有了，因为英国人只需放肆盗版美国作品即可。

"由于缺少国际版权法，要想从书商那里为文学劳动争取报酬是近乎不可能的事，结果迫使我们很多最顶级的作家都只能去为杂志和评论写稿，"坡在一篇社论中抱怨说。坡说这番话当然把自己也包括在内；1844年秋天，他在《纽约镜报》找到了一份工作，编发稿件，撰写不署名的小文章。从编辑《格雷厄姆》杂志的角度看，"这相当于下了一个台阶"，老板纳撒尼尔·帕克·威利斯后来承认说，但这已是他们能够提供的最好职位了。

写一些小玩意儿，譬如《试走矿渣人行道》之类的文章，不是坡搬来纽约所要的，虽然在这类粗劣的小把戏中也能获得些乐趣。一天晚上，他路过一家烟草店，发现店主加布里埃尔·哈里森正绞尽脑汁为当地民主党竞选活动写一首歌，就主动提出来帮忙。"我刚招呼完一个客人，"哈里森后来回忆说，"他就写好了一首，用的是《星条旗永不落》的旋律和节奏。"匆忙间写下的歌词（"看那白鹰在高天翱翔/用响亮的战斗唤醒广袤的苍穹……"）很合哈里森的口味，歌词作者拒绝接受酬劳，只收下了"我的一磅上等咖啡"。当心存感激的哈里森问这位歌词作者叫什么名字时，他淡淡一笑。

"萨迪厄斯·珀利，随时效劳。"他答道。

后来，哈里森被介绍认识这同一位绅士时听到的是另一个名字——而到那时，几乎没有谁不会背诵几句埃德加·爱伦·坡的诗了。

坡写歌可不是一时的心血来潮。作为戏剧家庭出身的孩子，音乐一直是他堪称最强大最隐秘的恋人之一。"我深受音乐的熏陶，以及一些诗，"他在同年写给詹姆斯·洛威尔的信中说，"音乐是灵魂的完美表达，或者思想，以及诗情。一阵甜美气息唤起的微醺（它应当是无止境的，影影绰绰的，不太过强烈的），这恰恰是我们的目标。"

尽管粗制滥造之作和小说带给坡更多的收入，但他的头号恋人还是诗歌。他年轻时代的浪漫主义诗人——济慈、拜伦、摩尔和柯勒律治——全都拥有一种"微醺"，并在最末那位诗人梦境般的《忽必列汗》中得到过精彩演绎，而音乐感则在摩尔身上非常响亮地体现出来，以至于他最初曾被誉为民谣诗人。（显而易见，坡没有被更加散文化的华兹华斯所打动。）作为一名批评家，坡将毫不吝惜的赞誉都奉献给了诗人们，尤其是阿尔弗雷德·丁尼生和伊丽莎白·巴雷特[1]，坡还借用这位未来的布朗宁夫人的《杰拉

---

1 阿尔弗雷德·丁尼生（Alfred Tennyson，1809—1892），英国维多利亚时代最受欢迎的诗人，善于写作抒情诗，代表作为组诗《悼念》。伊丽莎白·巴雷特（Elizabeth Barrett Browning，1806—1861），英国维多利亚时代著名女诗人，后来嫁给了诗人罗伯特·布朗宁，所以常称为布朗宁夫人。其代表作《葡萄牙人十四行诗》对爱伦·坡有很大影响。

尔丁女士的求婚》的韵脚，想出了自己最著名诗作《乌鸦》
的开头几行：

> 从前一个阴郁的子夜，我独自沉思，慵懒疲惫，
>
> 面对许多古怪而离奇并早已被人遗忘的书卷；
>
> 当我开始打盹，昏昏欲眠，突然传来一阵敲击，
>
> 仿佛有人在轻轻叩击，轻轻叩击我房间的门环。
>
> "有客来也，"我轻声呢喃，"正在叩击我的门环——
>
> 唯此而已，别无他般。"

关于诗，有一个问题几乎无人质问，即它们究竟因为
什么而成为诗；毕竟，如果有人撤掉上述几行文字中的换
行断句和韵律，它无疑仍旧是坡式句子。子夜时分，倦怠，
故意匿名的古卷，即将入睡的临界时刻，对超自然访客的
拒绝：我们会由此轻易地想到丽姬亚或罗德里克·厄舍。
而随着诗的展开，乌鸦用叠句"永不再来"作为强迫性的
和自我毁灭的代理人，将悲痛的叙述者逼得发疯时，其效
果，与心跳或黑猫在坡的其他渐趋疯癫的叙述者身上所达
成的一样。

而在将其演绎成一首诗后，坡挚爱的探访、拒绝、毁
灭之弧，只需一栏报纸就展露无余了。主题和视觉上，它
拥有了坡后来所称"效果的统一"。即便一个孩子都能看出
并预感到《乌鸦》中的累进模式，一种强有力的反复，无

可阻挡地升华至绝望之境；当它和容易记诵的韵律相结合，和一种风格化的悲剧性的失落感相结合，且不含有坡小说中那些发自肺腑的恐惧，那么它就成了一首任何孩子或成人都能读的诗。

坡知道他在《乌鸦》中取得了某种罕见的成就。他很少见地给英国诗人理查德·霍恩[1]寄去了一份手稿——坡非常崇拜他的史诗《奥利安》——请他给自己的作品提点意见，并请求把手稿转给伊丽莎白·巴雷特，坡其实已经料到他们会作何反应了。他的朋友威廉·罗斯·华莱士——他本人因《摇动摇篮的手》赢得声誉——仍然记得坡给他朗读那些尚未发表的诗的情形，华莱士对它们的反应是，"漂亮，非同寻常的漂亮"。

"漂亮？"坡嘲弄说，"这就是你对这首诗的感受？我告诉你，它是有史以来最伟大的诗。"

纽约为这首诗的到来所做的准备再好没有了。《被窃的信》终于在《礼物》杂志上发表，赢得了一堆热评；几周后，新一期《格雷厄姆》杂志刊载了詹姆斯·拉塞尔·洛威尔的一篇充满溢美之词的人物特写，同时附上一幅看上去非常平和（甚至满怀着希望）的坡的雕版肖像画。《乌鸦》在 1845 年 1 月 29 日纽约《明镜晚报》上首发之时，正是坡移居曼哈顿后所期望的巅峰时刻：对他的天才的

---

[1] 理查德·霍恩（Richard Horne, 1802—1884），英国诗人和批评家，代表作品是史诗《奥利安》。

认可。

"我们得到许可，在《美国评论》第二期正式出版前，转载埃德加·坡的这首诗歌杰作，"编辑 N. P. 威利斯撰写的报纸按语的开篇说道，"以我之见，这是我们国家发表过的'逃亡诗'中最有力的典范……它将牢牢镌刻在每一位读者的心中。"

威利斯是正确的——比他自己，比坡，比任何人所想象的都要正确。《乌鸦》横扫了全国的报纸。纽约的一位诗人同行惊诧地说，"《乌鸦》迅速传遍四海，每个人都在说'永不再来'。"诗作广为流行的最明显标志是各种仿作的出现，有《猫头鹰》（"但是那猫头鹰看上去很孤独，说着那个词，而且只说那词／我马上倒了一顶针的威士忌"），有《否决》（"从前一个倦怠的晚上，委员会在慵懒地思考／无数冗长的诉状，结果都被票决为令人讨厌的结果"），还有一个遭亚伯拉罕·林肯嘲笑过的滑稽模仿，题目叫《臭鼬》。报纸广告迅速效仿了这个句式；一本讨论演讲术的书，也趁着这阵风将该诗收入其练习作业。《乌鸦》无疑是美国诗歌教科书般的典范，这项荣誉一直保持至今，无人可及。

这首诗的受欢迎程度甚至令《金甲虫》黯然失色——"小鸟打败了虫子"，坡那年春天开玩笑说。但尽管它红得发紫，仍不过一首诗而已，在揽钱方面终也敌不过小说，而且一旦被盗印无任何收益可言。《乌鸦》给坡挣的钱甚至比《金甲虫》还少——只有九美元。好在它的名声带来了机遇。《乌鸦》发表三周后，《百老汇日报》宣布坡作为利益均等的合伙人加入报纸领导层。坡的工作是每周妆点由多个栏目组成的一页版面——一个横行霸道的完美布道坛。

作为批评家的那支笔，不可避免会引出坡最恶毒的语言，最著名的就是他和诗人亨利·沃兹沃斯·朗费罗的结怨。坡曾恳切地写信恳求朗费罗赐稿《佩恩》和《格雷厄姆》杂志。但现在的他——先是匿名，接着直接署名——大骂这位诗人，认为他毫无音乐感，并"染有道德污点"，都是坡的诗歌观念中最根本的罪恶。他还恶毒指责朗费罗的《旧岁子夜弥撒曲》，是对丁尼生的抄袭。

"〔它〕属于文学盗版中最野蛮的一级，"坡坚称，"到了这等级别，受侵害的作者的用词被避开，他最无形，因此也是最不可防范、最难以追回的财产被侵吞了。"

这项指控是荒谬的，尤其是出自双手并不干净的坡的手笔。朗费罗则很聪明地选择不去理会。一位读者用笔名"欧提斯"[1] 开始了朗费罗的捍卫行动，而坡则在他整个1845 年 3 月的专栏中没完没了地反驳。事实上，欧提斯很可能就是坡自己，他们之间的"争论"是一场搏眼球的独脚戏。出版商查尔斯·布里格斯私下承认说，"坡在抄袭这个问题上是个偏执狂，"后来还说，"顺便提一下，坡的朗

---

1 Outis，欧提斯，荷马英雄奥德修斯用此化名与独眼巨人交战，后人经常用此化名隐藏身份，尤其以艺术家，作家居多。

费罗之战，全都是一面之词，闹得乌烟瘴气。"

精心策划攻击一位受尊敬的作家，是一种很老套的伎俩；它能借机爆发出煌煌能量，并留下一堆怨恨的冰冷灰烬——有效利用它的办法就是开讲座。讲座起步良好；三百人到场聆听坡对"美国诗人和诗作"的大肆抨击，解剖鲁弗斯·格里斯沃尔德[1]新近出版的同名诗集中的最主要诗人，并不出意外地用同样方式对朗费罗既推崇又鞭笞一番。但是当定于 4 月 17 日举行的第二场讲座泡汤后，坡失去理智了。

"持续不断的大风、冰雹和雨夹雪，"《百老汇日报》的一名办公室伙计记得，"结果，讲座只来了十来个人，于是坡走上讲台［取消了讲座］……第二天早晨，他靠在一位朋友的胳膊上走进办公室，宿醉不醒。"

这本该只是一个失望的夜晚，坡则迅速将其演变成一场灾难。

这是一个标志，可以看出坡搬来纽约是怀着多么严肃的文学抱负，所以在那晚之前，他有一年多时间保持清醒，坚持一项令他更感幸福的嗜好：只喝浓咖啡。这不仅对他

---

1 鲁弗斯·格里斯沃尔德（Rufus Griswold，1815—1857），美国著名诗人、文学批评家、文集编撰家。1842 年编辑出版的《美国诗人与诗作》奠定了他的文坛地位。爱伦·坡对该诗集的批评导致二人不睦。后来他接替坡担任了《格雷厄姆》杂志的编辑，更让坡感到伤害。坡死后，他匿名撰写讣告，对坡进行全面攻讦，对坡造成严重损害。

的艺术创作有利，更可以保住一份稳定的日班工作；《镜报》编辑纳撒尼尔·帕克·威利斯点评说，在坡的编辑工作中，他一直"守时，勤勉可靠"。

坡现在又重回酗酒老路，且每况愈下。在他取消演讲一星期后，当地一家报纸恶搞说要发表一篇"埃德加·爱伦·坡论纯净水之用途和危害的论文"；一个月后，詹姆斯·洛威尔终于见到了坡，发现他"醉醺醺的……还使出这种状态下的人都会有的那种过度严肃的劲头来向你证明，他是清醒的"。没法这么伪装下去了；他取消了 7 月 1 日在纽约大学的另一场讲座，理由是"非常不舒服"。即便他的导师和同道诗人托马斯·奇弗斯[1]发现他在拿骚街的一家酒吧外踉踉跄跄，醉得一塌糊涂，"从一边晃到另一边"，但酒吧里的一个老主顾还在那里大声叫喊，说他是"美国的莎士比亚"。

坡的文坛声誉的确从没有如此崇高过。那一周，他的《故事集》发行了，这是他自 1839 年以来的第一本新书。作品集由出版商埃弗特·戴金克选编，囊括了坡所有的侦探故事——按照发表顺序编排，占了将近一半的篇幅——外加坡除了《泄密的心》和《丽姬亚》之外的其他重要作品。但是和内容几乎同等重要的是它的题名页："怀利与普特南的美国图书文库，第 2 号"。戴金克设计的这套书远远

1　托马斯·奇弗斯，1809—1858，美国诗人，与爱伦·坡的友情深厚但最终破裂，因为彼此都指责对方是文抄公。

胜过英国的廉价盗版书系。这套系列文库将把坡和后来入选的其他作家相提并论，他们是纳撒尼尔·霍桑、玛格丽特·富勒[1]，以及一位冉冉升起的新星赫尔曼·麦尔维尔——这既标志着戴金克非凡的品味，也意味着《金甲虫》和《乌鸦》在多大程度上提升了坡其他作品的地位。

这也是对坡移居纽约的一次辩护。他住的地方离百老汇大道上的怀利与普特南公司办公室不到一个街区，即便后来在那年夏天搬去了市中心的阿米蒂巷，他离玛格丽特·富勒和书商约翰·巴雷特也只隔一个街区。书店的位置很合宜，巴雷特可以请他参加各种作者沙龙——他对作家的生活状况很了解，通常会在桌上摆好面包、黄油和咖啡。不仅坡，詹姆斯·菲尼莫·库柏和华盛顿·欧文是这里的常客，诗人威廉·卡伦·布莱恩特和威廉·吉尔莫·西姆斯[2]也每天必到。

随着《故事集》的出版，他们真诚地欢迎坡成为他们的一员。富勒在《纽约论坛报》的头版撰文称赞《故事集》。西姆斯则大发感慨，认为坡会因为"太过原创性了，可能因此不能成为很成功的作家。大家还没做好接纳他的

---

1 玛格丽特（萨拉）·富勒（Sarah Margaret Fuller）（1810—1850年），美国作家、评论家、社会改革家、早期女权运动领袖。她是新英格兰先验论派的著名成员，1840—1842年，即杂志发行的前两年，她负责先验论杂志《日晷》（The Dial）的编辑工作。
2 威廉·卡伦·布莱恩特（William Cullen Bryant, 1794—1878），美国重要的田园诗人。威廉·吉尔莫·西姆斯，1806—1870，美国南方诗人，小说家，受到爱伦·坡的推崇，政治上支持奴隶制。

准备呢"。

　　然而，日益清楚的却是坡自己没有做好接纳大众的准备。他的酗酒激怒了《百老汇日报》的合作伙伴，布里格斯向詹姆斯·洛威尔抱怨说，"他有好的地方，可合在一起就糟糕了。"仿佛为了证实这一点似的，几周后，坡不可理喻地在报纸上和洛威尔干上了，谴责他这位前盟友和传记作者有抄袭行为——这个荒唐举动只会令洛威尔苦笑："我因为替坡效劳而把自己变成了他的敌人。"

　　但坡并不是没有完全意识到自己的怪癖，在他那年夏天出版的故事《乖戾的小精灵》中有所暗示。这篇文章的末尾出现了一个十分牵强乏味的谋杀情节，真正的谋杀应该是叙述者谋杀了他自己。坡闷闷不乐地注意到了那些行动发生"在乖戾的精灵身上……我们犯下那些罪行只因为我们觉得自己是不会这样做的"。而更加透彻地看，文章是对于失去控制、陷入非理性迫害的一番思考；确切地讲，篇中论文或许就像最早发表的关于音乐耳朵虫现象的描述那样——"被我们耳朵里或记忆中的一种嘤嘤声搞得心烦意乱，而那种烦扰出自某首普通的歌曲，或者某部歌剧中并不动人的片段。"

　　如果那个"小精灵"象征了坡的自知之明，它看来并没有帮到坡多少。《故事集》好评如潮，为此怀利与普特南公司决定为他再出一本诗集。坡因此成为文库系列中首位出版两部作品的作者；1845 年 10 月他受邀在"波士顿学园"[1]季节开幕式上朗诵一首新诗。但是坡突然发现自己不会吟诗了；直到站上波士顿欧登剧院的舞台前一刻他才清醒过来，可手上没有了诗文。

观众的耐心甚至在坡开口前就已耗尽，因为前一位演讲者已经嗡嗡嗡地讲了两个多小时。当坡从会场招贴上那首诗出发，开始就美国诗歌发表二十分钟的即兴演讲时，又有许多听众走掉了。留下来的人中有艾米莉·迪金森未来的导师托马斯·文特沃斯·希金森，他记得当时坡"突然背诵起一首令人费解的诗，观众看上去彻底懵了"。他们的确会懵，因为坡应急求助的那首诗绝非什么新作，而是来自他1829年无人问津的大杂烩《阿尔阿拉夫》。希金森被它迷住了（"走回剑桥时，同伴们和我都觉得自己中了某种魔法"），而一直坚持到最后的那少数几个人只是等到他背诵《乌鸦》时才得到些许安慰。事后，波士顿报纸对坡的回味相当寡淡。当然这种感觉是相互的。

回到家，坡发现《百老汇日报》经营状况恶劣，决定用五十美元买断合作者手中的股份——尽管这笔钱是借来的——并迅速利用报纸版面取笑起波士顿的观众。虽然不太可信，但他宣称那场朗诵是他恶作剧中的又一个，为了糊弄波士顿文学界的那些傻瓜大佬们。

"波士顿人都挺好，"坡嘲笑道，"宾馆糟糕，南瓜饼味

---

1 Boston Lyceum，波士顿学园，1829年发起的波士顿全城文化活动，讲座、研讨会、写作比赛等遍布城市各个角落。

道很好，可他们的诗却不怎么样。"纯粹为了给伤口洒盐，他还说《阿尔阿拉夫》是他十岁时写的。在取笑一番演讲过程中粗鲁退场的那一半波士顿观众后，他还嘲笑了那些留下来的人，说他们被一个少年的作品骗了，还"鼓掌欢呼，即便我自己都未必理解那些磕磕巴巴的段落"。

但这并没有阻止坡把《阿尔阿拉夫》放进《乌鸦及其他诗》里，几周后这本诗集被摆进了书店。自嘲是当时常规的序言写法，坡则比大多数人走得更远："我认为这本集子里没有任何对公众有价值的东西，"他直截了当地说。这句声明只有一半对，一本收入《乌鸦》和《不安的山谷》的诗集是不可能毫无价值的。但为了保证诗稿达到一本书的厚度，坡不得不把《帖木儿》、《阿尔阿拉夫》这类少年之作，以及像《波利希安片段》这样失败的实验品都塞了进去；他一心想挽救《波利希安》，以致不假思索地借来几期《南方信使报》，直接抄过来了事。

这本诗集受到公众彬彬有礼的接受，尽管对他青少年时期的作品都大感不解。和往常一样，玛格丽特·富勒是第一个出手的，她确定，其中只有《乌鸦》是杰作，其他诗作则透露出一种尚未实现的潜能——"诗集中的作品展现出一种能做得更好的力量"。

坡的小说却越来越强；即便对他的诗评络绎出现，《美国评论》还是发表了他小小的科幻骗局小说《瓦尔德马先生病例之真相》，这篇关于催眠导致的假死状态的诡秘小说，在英美两国都被轻信为事实而不断重印。诗评和《瓦尔德马》的重印令坡喜笑颜开，却无暇顾及；因为在《百老汇日报》的办公室里，他的生意正下水起航。

真是一个残酷的讽刺。多年来他一直想着创办《佩恩》和《铁笔》杂志，梦想拥有自己的出版事业，可梦想彻底淹没了坡：由于资金不足，缺少稿件，他孤注一掷地埋头于书摘，以及毫无诚信地重复自己那些更不为人知的短篇故事。年轻的沃尔特·惠特曼曾到访过那间办公室，发现坡"非常友好仁善，但闷闷不乐，也许还有一点迟钝"，他对能在 11 月 29 日那期报纸发表惠特曼谈音乐的文章表示了高兴。坡在报纸上撰文赞扬说，"我们完全同意来稿者的意见。"这可是惠特曼从文学大腕那儿领受到的最早赞扬。

但坡首先缺的还是钱。报纸到手仅仅五个星期，他就把一半股份卖给了另一个合伙人，自己则整个假期在酗酒，导致下期报纸开了一整栏天窗——这是编辑对生活绝望的标志。到了 1846 年 1 月 3 日，他的合伙人受够了他，宣布关门大吉。

那天，坡待在家里——和一年前相比，他出了两本小说集，一本广为人知的诗集，以及一份倒闭的报纸。他有名气，没工作，酗酒。他从自己个人生活这道湿漉漉的谜题中转开视线，对着刚送到的装有又一道密码题的信件沉思起来——读者们还在拿密码谜题折磨他——

他看着面前纸上的那道题目。他解出来了，挖苦的文字浮现于纸面："*当他们想要葡萄酒时，耶稣的母亲对他说，没酒了……*"

　　快递男孩们飞速穿梭于曼哈顿的大街小巷，提着一袋袋的情人节礼物。为了这一天，邮局额外多雇了一百名邮递员。弗吉尼亚·坡从病床上坐起身来，拿起笔，小心翼翼地给丈夫写了一首浪漫的藏头诗：

> Ever with thee I wish to roam—
>
> Dearest my life is thine.
>
> Give me a cottage for my home
>
> And a rich old cypress vine,
>
> Removed from the world with its sin and care
>
> And the tattling of many tongues.
>
> Love alone shall guide us when we are there—
>
> Love will heal my weakened lungs;
>
> And oh, the tranquil hours we'll spend,
>
> Never wishing that others may see!
>
> Perfect ease we'll enjoy, without thinking to lend
>
> Ourselves to the world and its glee—

Ever peaceful and blissful we'll be. [1]

Saturday, February 14, 1846.

（我希望永远和你一起畅游——

亲爱的，我的生命属于你。

给我一间小屋当家

和一颗老莴萝，

躲开这个地带以及罪与爱

还有众人嘴里的闲言是非。

在那里我们唯有爱作向导——

爱将治愈我羸弱的肺；

哦，我们将共度宁静的时光，

再不希望让别人看见！

我们将享受闲云野鹤，无需想

屈从于世界和它的欢娱——

我们将永远安宁而喜悦。

1846 年 2 月 14 日星期六）

这是我们看到的她于世仅存的文字，饱含着催人泪下的赤诚与温柔。在坡酗酒和杂志倒闭的日子里，弗吉尼亚"羸弱的肺"也在持续羸弱。埃德加围绕妻子和姑妈建造起

---

1 本诗每行第一个词的第一个字母（黑体）组合在一起是 EDGAR ALLAN POE，
  即埃德加·爱伦·坡的姓名。

来的小家，彼此越来越难分难舍。

他们近来也遭受了些"闲言碎语"：几个星期前，历史学家伊丽莎白·艾莉特[1]后悔给埃德加写了几封没有得到回复的信，她脾气火爆的哥哥威胁要痛打这位作家。坡醉醺醺地撞进他的同事和一度的好友托马斯·邓恩·英格利什的家中，想借一把手枪保护自己。英格利什拒绝了，两人爆发了一场拳斗，英格利什戴图章戒指的拳头击中了坡的脸，坡伤得更惨；两人被分开后，浑身是血的坡气急败坏地说："随他去吧。我已经在他身上达到目的了。"

幸好他没搞到枪；即便是醉了，坡依然是他那一代人中少数受过军事训练的文人之一。不过这件事导致坡被排除在当年的情人节文人沙龙活动之外，只能和妻子待在一起，一边渴望离开繁闹"地带以及它的罪与爱"。玛丽亚姑妈在巴尔的摩拥有一小块地，却因拖欠地税多年被市政府收回。无计可施，既没钱又缺运气，那年五月坡一家人迁居到布朗克斯郊区宁静的福德汉姆。

他们的新社区可不是文化集散地，其最近一次最出名的是举办了一场耕地比赛。与之相匹配，有位访客说，通往坡的房屋的小道"半掩在果树林中"。作家玛丽·格夫·尼科尔斯来访时发现，那是一个小农舍，位于一片起伏的

---

1 伊丽莎白·艾莉特（Elizabeth Ellet，1818—1877），美国历史学家，作家，诗人，代表作是《美国独立战争中的妇女》。1845年移居纽约，丈夫则留在南部。她频繁地同时给坡和诗人弗朗西丝·奥斯古德写信，在两人间咬耳朵，导致两人情断。

草地中；樱桃树林引来各种小鸟，埃德加站在屋外，正在训练他抓到的一只美洲画眉。

"他把小鸟放在笼子里，笼子挂在一棵樱桃树的一根钉子上，"尼科尔斯逗笑说，"可怜的小鸟不适合生活在笼子里，就像它的主人不适合生活在这个世界上一样。"

不过，坡已经将那座城市的诸多不幸抛在身后，自娱自乐地去林子里，去圣约翰学院，也就是后来的福德汉姆大学散步。他当然不是用更大的居住空间取代都市生活；他家也就三个房间，跟家里人口一样多，外加厨房、客厅，以及楼上一间顶着屋檐的逼仄卧室。在尼科尔斯看来——她是一位改良派作家，从水疗到自由恋爱无不涉及，且刚从中西部傅立叶式的种植园凯旋不久——那个家很朴素，如果对像她那样的理想主义者来说不算太艰苦的话。

"我从没见到过如此整洁、如此贫穷、如此简陋，却又如此迷人的一个家，"尼科尔斯回忆说，"起居室的地上铺着格子花纹的垫席，四把椅子，一个灯架，和一个悬挂的书架，家具就这些。那个小书架上摆着一些品相精美的书籍，而布朗宁夫妇占据了书架上的显要位置。"写作时，坡就在两扇窗户之间摆上一张桌子，可以时常去窗户边站站，而他的猫卡特琳娜则会跳到他的肩上，盯着他看。

坡并没有和外面世界彻底失联；随着《故事集》和《乌鸦及其他诗》迅速在伦敦被盗版，他看到了一些从海外溜回国内的评论文章。但是那年春天他最瞩目的成就是坡本人发表在《格雷厄姆》上的论文《创作哲学》。在文中，坡声称《乌鸦》是按照一丝不苟的逻辑步骤创作出来的，而这个过程似乎证明了一个力求创作一首伟大诗歌的人，是如何注定会写出《乌鸦》的。

《哲学》一方面很显然根植于坡的文学批评，但其更微妙的源头在于坡的密码题栏和侦探小说，以及它们由逻辑上的排除和推理，导向不可避免的结局的精彩演绎里。当然，一首诗的主题必须是美和死的交织（"那么，美妇人之死无疑是世界上最有诗意的主题"）；毋庸置疑，一百行左右是诗歌最理想的长度（"实际上，它是 108 行"）；确实，只有"永不再来"能够作为诗的副歌（"没错，最先冒出来的就是这个词"）。如果坡关于诗歌逻辑公式的这个一本正经的论断，是和他的气球骗局一样令人坚信不疑的话，那么这篇论文就可敬地概括出了他的创作观念，即从一个故事的结局倒着向前实现一种"效果的统一"。他还有一个理论，即诗歌那转瞬即逝、妙不可言的特点，强迫其必须在"一个明确限度内展开，而就长度而言，所有的文学艺术作品都是如此——限定在一口气读完的范围内"。

那年春天，《创作哲学》几乎没有引发任何评论，倒是他在市中心的缺席颇受关切，报纸上开始谣言四起，说他可能被送进了尤蒂卡疯人院。他没有，但是当数日之后《高迪杂志》宣布坡将写作一组"纽约文人"特写时，人们的好奇心又陡然被点了起来。1846 年 5 月刊上发表了一组以令人不解的直率笔法描绘的纽约编辑和作家们的特写，并迅速卖光。在坡赞赏与捅刀子习惯性并存的批评文风中，这些人物特写读来真让人心惊肉跳。他揭露昔日的生意伙伴查尔斯·布里格斯是"一个不招人讨厌的人，尽管非常容易发火和爱找麻烦"，同时"还假装自己懂法语"；旅行作家威廉·吉列斯皮"走路不规范，爱自言自语"；至于 N. P. 威利斯，坡断定"他的脸有点儿太肥了，或者相当沉重……他的鼻子和前额都没办法让人说好话。"

威利斯，当心啊，这是他的*朋友*啊！

坡彻底走火入魔——尽管他不会反对算旧帐，但他的肖像特写中许多最欠考虑的段落，实际都源于他对颅相学的信仰。虚弱的脸相和古怪举止的临床表现，也看似与他吻合：这些描写都应该归入科学范畴。但对其他任何人，这些都构成非常严重的侮辱。一位同情此事的报纸编辑警告说，这是"最疯狂的诚实"。夏天还没有过完，坡的人物系列已经激怒了他的老对手托马斯·邓恩·英格利什，把他俩打架和坡酗酒一事透露给了纽约的各家报纸，邓恩还声称，"本市的一位商人曾谴责［坡］伪造签名。"坡勃然大怒，并起诉他诽谤。

事态显然已经失控。同为南方作家的威廉·吉尔莫·西姆斯因此恳求坡："作为你的挚友，请恕我直言，你正处于人生最危险的境地。"人物系列在 10 月份中止了，但是危害已经造成。托马斯·邓恩·英格利什发表了一个作品，讽刺性地将坡写成作品中那个酗酒、赤贫的批评家兼《黑乌鸦》的作者"马默杜克·汉默海德"[1]：

> "你——你——你可读过我的朗——朗——朗费罗评论？"
>
> "没有！"有人说道——一个神情淡定的人，"我敢说它非常苛刻；但我从未读过。"
>
> "哦，"汉默海德说，"你失去了一次伟——伟——伟大的乐趣。你这个笨蛋！"

要说这场争吵带来了什么好结果，那就是 1846 年 11 月《高迪》杂志上发表的坡那篇蒙了一层薄纱的复仇幻想小说《一桶蒙托亚白葡萄酒》——一篇关于反向心理和讽刺对话的黑色幽默杰作。故事的叙述者温和地引导他的受害者逐步进入一座致其死命的地下墓穴，却一边坚持不要他往前走。像坡的许多哥特式作品一样，故事的确切时间和地点都不清晰，叙述者才是绝对焦点：一个不安、清醒的声音在讲述一桩扑朔迷离的谋杀案。正是受害者的哀告——哀求，继而疯狂，继而不安的忧伤——构成了故事的关键，超越了那类手法娴熟但老套的感官刺激故事。叙

1　Marmaduke Hammerhead，托马斯·邓恩·英格利什为坡发明的讽刺名字，出现在其 1844 年到 1846 年间发表在《纽约晚镜报》上的连载小说"一八八四"中。其中人物马默杜克·汉默海德非常像坡，因写作"黑乌鸦"而闻名。坡以诽谤罪起诉英国人。坡不久去世，英国人仍通过发布坡的饮酒和用药账单，进一步损害他的声誉。

述者在最后流露出一丝轻微的后悔，可当面对这骇人场面，这样一星半点的良心火花是无济于事的；在他的故事里可能没有道德可言，因为他根本不会有任何遗憾。

《一桶蒙托亚白葡萄酒》的发表临时顶掉了坡的下一篇人物特写，给他带来的好处，肯定远远大过那一串诚实伤人的新特写。但是，坡没有继续写小说，反而抱着病躯，把1846年余下的大部分时间都耗费在这个人物特写工程上，并打算命名为《文学美国：关于美国作家优缺点的诚实意见，偶尔会兼及人品》。

"我或许会大出风头，搞到一些钱。通过把这个计划发展为一本书，对美国文坛作一概述，并将出版权攥在自己手里，"坡向一位朋友解释说，"我眼下就在干——全心全意地干。"

这是一项毫无希望的工程。坡缺少印刷发行的资金，也没有哪个理智的出版商会接受这样一本注定会激怒本城半数同行的书。那年12月，访客们来到坡的那间农舍，发现这家人正瑟瑟颤抖，病恹恹的，一贫如洗——而且其中一位即将耗尽时光。

那年圣诞季，就在资助穷人的常规赈济活动期间，1846年12月15日的纽约《早快报》刊登了一则特别惊人的募捐通告：

埃德加·A·坡生病了——我们痛心地得知，坡先生和妻子因肺结核双双病重，厄运之手给他们的日常生活造成严重困难。我们遗憾地告诉大家，他们身体极度虚弱，基本生活都难以为继……

这篇报道被全国报纸迅速转载——"伟大的上帝啊！"《波士顿人》在圣诞前夜的编者按中说，"联盟的文人雅士们啊，你们怎能任由可怜的坡在纽约面黄肌瘦地沿街乞讨，饿死？"多位编辑站出来大声疾呼发起募捐。坡为这种关切感到羞辱，即便内心暗暗感激那些纷纷涌入的微薄却如雪中送炭的捐助。

"妻子生病是事实，"他向 N.P. 威利斯承认道。然而在过去一年里，坡的酗酒才被证明是灭顶之灾："我本人也长期患病，情况危急，这一直是新闻界同仁心知肚明的事情，其最好的证据可在不计其数的个人攻击和文学诘难中找到，我近来一直在进行反击。不过我会痊愈的……我正在好起来。"

坡的确醒悟了过来，全身心扑在《文学美国》项目上。而在那幢小农舍的另一个房间，弗吉尼亚·坡也正像社论所说的那样经受着各种病痛。一位来访者发现，一家人都在设法温暖她那张病床；埃德加握住她的双手揉搓，玛丽亚姑妈捧着她的双脚，而她身上只盖着一条薄薄的毯子——那是埃德加的旧军大衣——还有那只猫卡特琳娜。

朋友们捐出的毯子和枕头不久就送到了，但弗吉尼亚的状况已无法挽救。1847年1月末，他们全家的朋友、护士玛丽·路易斯·休收到玛丽亚姑妈一张可怕的便条："赶快来——明天一定要来啊！"

她看到，弗吉尼亚斜倚在一把扶手椅上，脸上泛着病人最后的一抹潮红，年方24岁——一边还在操心着不让埃德加成为孤独的鳏夫。弗吉尼亚抓住他和玛丽的手，覆在一起。"玛丽，和埃迪做朋友吧，不要嫌弃他，"她恳求道，"他一向爱着你——对吗，埃迪？"

一天后，弗吉尼亚死了。房东为他们的窘境所动，主动提出在他们家族的教堂地下墓室里给弗吉尼亚一块安身之处，以免草葬于贫民公墓——坡实在太穷了，也就接受了。

埃德加也濒临绝望，刚刚好转的身体又崩溃了。"在她走后，"一个熟人回忆说，"时间过了一小时，一天，一星期，还是一年，他看似毫不在意；她是他的全部。"有一天，他不省人事，被人送去医院；等他恢复知觉，就发疯似的对着身边的护士喋喋不休，念叨着他早死的哥哥亨利——"他滔滔不绝地对我说着往事，"她回忆说，"……〔他〕哀求我把他那些胡思乱想都记下来，因为他说，他已经答应很多贪婪的出版商要给他们写东西。"

那年春天，坡从病痛和沮丧的雾霾中恢复过来，不敢相信前景又亮了。尽管因病无法出席法庭听证会，他还是在诽谤案中获胜，并获得两百多美元的赔偿。鲁弗斯·格里斯沃尔德也屈尊在他新近出版的《美国散文作家》一书中认可他的创作，并特别点出他的创作秘密，"他与众不同的特点是细致入微的分析能力。"还有更好的消息，《莫格街血案》在巴黎受到了可能是它最高级别的赞誉：被一个法国人译成法语，并充作自己的作品出版了。当《莫格街》的真实作者浮出水面时——一个无可挑剔的巴黎式秘密，是个美国人！——坡的名声上升到或许比自己国家更高的高度。

"［坡］在国内被一群卖文为生的穷文人纠缠得很恼火，他的铁笔把他们戳得太深了……"坡的编辑埃弗特·戴金克逗乐说，"这和他在国外的地位形成很奇怪的对比，之间距离正好体现出他天才的显著特征。"

六月里，戴金克来坡家参加一个茶会，发现坡康复得不错，正享用着户外"纯净的空气"；室内，地板铺上了新地毯，玛丽亚姑妈在餐桌上摆了一桌好得不能再好的丰盛美食，更有一把镀银的新咖啡壶——都是他诽谤案令人愉悦的战利品。

然而，坡还没有完全恢复创作元气——那一年，他写下的寥寥几篇都是对旧作的打捞再利用。1847 年的一首主要诗作是《乌拉路姆》，是对死者的哀嚎，其效果却是诡异而晦涩。这是他诗作中最大胆的一首，采用持续不断的重复以实现一种恐怖效果——不像《乌鸦》只是一个词的叠句，而是整个词语如病床谵语式的一行接一行地互相呼应并蜿蜒向前：

> 天空阴沉沉一片蒙蒙灰色；
>
> 所有的树叶都已焦枯凋零——
>
> 所有的树叶都已枯萎凋零；
>
> 这是个夜晚，在凄凉的十月
>
> 在我最无法追忆的那一年……1

它可能是坡在一年前写的——而最初读过它的朋友和熟人都感到大惑不解，不明白是什么造就它的。

为了1847年一篇重要的散文作品，坡向过去挖掘得更加深远，他对1842年一篇很不起眼的文章做了增补并重新命名。不过，《阿恩海姆乐园》是个让人出奇感动的短篇小说。故事起源于一个继承人对攫取一笔经过一个世纪的复利后变得硕大无比的遗产动了念头，穷困的坡借此想象出一个令人心伤的问题：即便是世界上最富有的人，你该如何找到幸福？在坡原先的故事版本里，继承人选择用钱来规划一片伊甸园式的庇护所；但是在《阿恩海姆》里，新增加的结尾是凭一叶扁舟进天堂：

1　译文参照了《爱伦·坡精品集》，曹明伦译，合肥：安徽文艺出版社。

一阵欢迎曲传来，空气中有令人窒息的奇妙的甜味；——有人看来仿佛梦境般的、相互缠绕的高大修长的东方林木——一丛丛矮小的灌木——成群成群金黄、深红的鸟儿——水仙环绕的湖泊——长满紫罗兰、郁金香、罂粟、风信子、晚香玉的草地——相互交错的绵长的银色小溪——以及，在这一切之上、令人迷惑地跃升在空中的，是一大片半哥特、半撒拉逊式的建筑，海市蜃楼一般漂浮在半空，有成百的凸窗、宣礼塔、尖顶在红彤彤的阳光下晶莹闪亮；像是由空气精灵、仙女、鬼仆和侏儒精灵们亲手合力建造的魔幻之城。

它承载着一个悲痛欲绝的男人对来世的想象，令人难以忘怀。他私下里承认，这个故事"表达了我灵魂的大部分"。

他关于天堂的遐想绝不是神学意义上的，因为他从没有在教堂里找到过安慰——"《圣经》，他说，全都是冗长繁复的故事而已，"《百老汇日报》一位声名狼藉的同事曾如此报道。但是当 1847 年接近尾声，新的一年即将到来时，人们经常可以看到坡深夜站在农舍的前廊下，盯着冬季寒冷的夜空中闪烁的星星——思忖的不是天堂意味着什么，而是天空意味着什么。他大口地喝着咖啡，兴奋地让他长期受苦的姑妈陪伴至深夜。坡一边驱散孤独，一边举笔写下自己的万千思绪。

"他从来不喜欢一个人呆着，"她后来回忆说，"于是我常常坐在一旁陪他，经常到凌晨四点，他在桌子上写啊写，我就在椅子上打盹。他在创作《我找到了》时，我们常常在花园里来回散步，他用胳膊搂着我，直到我累得走不动为止。他每隔几分钟就会停下来，向我解释他的那些想法，还问我听懂没有。"

她可能对他的话迷惑不解，但坡从没感到如此地相信自己。

"我提出的一切都将（在合适的时刻）彻底改变这个世界的自然科学和形而上学，"坡在那年二月给一位朋友的信中写道，"我说这些是很平静的——你等着瞧吧。"

5 永不再来

1 848 年 2 月 3 日的《纽约论坛报》上，在"辉格报社出售"和"催眠术、梦游症、洞察力和错觉"讲座的广告中间，插了一则谜一样的通告：

☞埃德加·爱伦·坡将于本月 3 日，星期四
晚上 7:30 在社会图书馆举办一场讲座，主题：
宇宙。票价 50 美分——现场有售

这则广告只有三行，是坡能在《论坛报》上买得起的最小最便宜的广告位了；而且为了能塞进那个空档，末尾的句号都被去掉了。

好奇的读者来到百老汇和伦纳德大街交汇处，走进社会图书馆那宏伟的爱奥尼亚式廊柱的大厦，朝其中一间演讲厅走去。在急切等待的人群中，有坡的老编辑埃弗特·戴金克以及少数几个报纸记者。但更扎眼的是有很多人没来：只到了大约六十来人，大厅里大部分座位空着。

瘦削苍白的埃德加·爱伦·坡走上讲台，一袭惯常的

黑色，外套扣得紧紧的。他宣布，当晚的主题是物质的本质——恒星、卫星、万有引力和电，宇宙的开始和终结——还有上帝。坡背诵了一篇滑稽的讽刺文章作为开场白，这是一封寄自2848年的信，那时候的火车每小时能跑300英里，有空中飞船，还有"悬浮的电报线"——然后，有点出其不意的，他把话题拉回到宇宙学。门外大雨倾盆，钟敲过九点，听众们在座位上不安地动来动去，坡却沉浸在对万有引力和星云理论的遐想中，没有任何要停止的迹象。

"开场白后的每一分钟似乎都充斥着那个举世闻名的词语，在他的演讲中非常突出，那就是万有引力，"一位到场者回忆说，"它重压在心头，却看不到尽头；薄薄的纸张，整齐的文稿，一页接一页，优雅地翻过；可是，欧，明摆着还有更多等在那儿呢。"

将近十点，作家结束了演讲，并宣布希望能募集资金来创办他心爱的杂志《铁笔》；可不等他募捐到期望的一百美元，听众们就悄悄溜走了。

"对一场普及性演讲而言，这是莫大的荒唐，"惊魂未定的戴金克在随后给哥哥的信中说，"它非但没吸引到订购者，反而把他们赶走了。"众多报纸也和戴金克一样，都感到极度的迷茫或不屑一顾；有一篇长长的赞赏型报道也不无遗憾地说，糟糕的天气挡住了众人。这是一个充满仁慈的解释，与之形成对比的，却是同天晚上帕克剧院的演出坐了满满一屋子的人。

　　错误全在坡身上。社会图书馆已经证明，它热情友好地欢迎所有人来此举办活动，从催眠术士到斯威登堡思想宣讲人；就在随后的一周，一个名叫斯皮内托的先生就用它举办了一场"博学的金丝雀"展览。但坡在演讲时没有新作发布——那封公元 2848 年的信，出自他新近完稿的短篇小说《未来之事》，可他没有提到这一点——而且他的演讲主题并非是他的学术专长。他等到最后一刻才登的广告，并且在报纸上购买的位置也是小得不能再小。而且同样的50 美分入场券，当晚纽约人可以去看约翰·班瓦德[1]的"三英里画作"，或者只花一半的钱去听克里斯蒂民谣组合[2]的《黑人民谣的拿破仑》。说得更直白些，他们只需再等一个晚上就能听到一位真正的天文学家谈论新近发现的海王星。

　　然而坡依然坚信自己演讲的重要性。他和出版人乔治·普特南约定，在演讲开始前，他会在一片死寂中盯着普特南看上整整一分钟。

　　"我是坡先生，"他终于开口说。普特南见惯了各种怪癖的作家，对坡更是无比清楚。

　　"我几乎不知道，"坡继续说，"该如何开始接下去的内

1　约翰·班瓦德，十九世纪美国画家、全景画家。著名画作是密西西比河谷图，长达一点五英里，在全美巡展的宣传中称之为三英里。
2　克里斯蒂民谣组合（Christy Minstrels）由著名民谣歌手埃德温·皮尔斯·克里斯蒂于 1843 年创立于纽约布法罗市，其特点是白人把脸抹黑扮演黑人，演唱黑人歌曲。

容。那是一个深奥严肃的话题。"

作家因为激动而微微颤抖——普特南记得，因为"他提出要出版的那部作品会引起轰动……第一版先印个五万本或许够了，那只是一个小小的起步。因为世界历史上还没有哪个科学事件在重要性方面能够和这本书的原创性相提并论，这一切以及其他种种，都不是讽刺或开玩笑，而是极其认真的"。

普特南同意出版《我发现了：一首散文诗》，但是1848年7月的印刷数不是五万本，而是五百本。屈指可数的读者翻开后发现，这是坡最古怪、最令人困惑的作品："我计划要谈论的是，物理学、形而上学、数学，"他写道，"——即物质的和精神的宇宙——其证据、起源和创造，其当前的状态和未来。"

接下去的内容可能会驱散听众们的一头雾水。第143页里，既没有分章，也没有分节，坡力求证明宇宙源自于无，从"初始粒子"分裂而来；而这一创造过程涉及吸引（万有引力）和排斥（电能）两种力。引力最后将导致宇宙物质相互撞击崩塌并回归初的统一体。在统一体内，具象的神灵是人类心智所无法理解的，唯有借助于宇宙万物来呈现——而这对于一位钟爱批评超验主义者的批评家来说，怎么听都有点爱默生主义。

但坡走得更远：他质问，如果这个过程得以重复，那么每一次的膨胀与收缩都会展现各自的一个上帝？

"我本人被迫要作这样的幻想——不复他求，"坡谨慎地说，"即宇宙中确实存在无止无休的一连串宇宙，多少和我们认知的情况相类似——也仅仅与我们将可能认知的情况相类似——至少要等到宇宙再度回归到统一体的时候……每一个都分离、独立地存在于特定、真切的上帝的怀中。"

物质起源于无的思想可以在教科书中找到，而多重宇宙的思想可以追溯到古希腊人那里；可是坡将这几种思想融合后的特别产物有一个令人愉悦的神谕，尤其是在他的诗歌天赋影响下。任何一个人读到这句话，即"一个崭新的宇宙膨胀升起，然后消减进入虚无，伴着神之心脏的每一次跳动"时，他都能看出这是《乌拉路姆》背后的那个心灵在起作用。然而，这首"散文诗"并非正统意义上的诗作；作为散文，坡没有给出任何特别的方法证明自己的理论，有的只是直觉，和对行星与轨道计算的一鳞半爪，所以后来有位天体物理学家直截了当地称这些"全是胡说八道"和"数字卜卦术"。

《我发现了》里步调不一致的叙述声音——有时讽刺有时荒谬，有时掉书袋，有时则激昂奋进滔滔不绝——可以从坡早年信心不足的作品中找到知音。一位孤独的鳏夫，住在一处偏远的农舍里，没有配偶，也没有报刊编辑来质疑他，检查作品的瑕疵。貌似坡自己对于如何解释这个结论也没有把握。

"我奉上这本真理之书，不是作为真理阐述者，而是为了真理中丰富的美，"他在前言中说。这本书是"一件艺术品而已"——然后他又着重强调："我这里提供讨论的都是真的问题，"最终又承认说，"无论如何，我只希望在我死后，这部作品能被作为一首诗来看待。"

实际上，《我发现了》的文体相当好认：怪异文学。任何一位见识过十九世纪万能灵药的读者，如颅相学、八角形房屋、地球空心理论，以及傅立叶垦殖农庄等等，都能在《我发现了》中找到令人欣喜的相似物。这类作品的典型特点是都由非专家撰写，尤其经常出自一些在其他领域的精英之手；他们对下笔的主题往往只有肤浅的理解，而且就科学方法而言，他们可能采用的是错误的类比和假设，却就此提出了宏大全覆盖的论断，关于政治、卫生、宗教，以及宇宙本身。怪异文学的诡异之处在于，它可能包含了一个优秀思想的内核，一个稍纵即逝的预言般的认知。颅相学碰巧触及了局部大脑功能和神经可塑性问题；八角形房屋运动提出了开放性房屋规划和混凝土构造问题；地球空心理论恰好鼓励了初期的南极探险活动。坡提出了稍纵即逝的富有革命性、有参考价值的观点，并对夜空的黑暗做出了一半合理的解释，但这些没有令《我发现了》一文在科学上造成广泛影响，却成为漫漫文学长河中无数不可证实的功败垂成之事中的一个。

对于《我发现了》的批评是温和的、尊敬的，同样也是不以为然的。除了普特南预付给他的十四美元之外，坡不可能有更多进项，比他写其他文章所挣的都要少。另一个问题是：经历了写作《我发现了》的一段清醒和目标明确后，坡又无所事事了，很快又不屈不挠地转回到创办杂志的幻梦上。

"我决定要有自己的杂志，"他对一个朋友倾诉说，"被人操控等于被毁灭。"

1848年夏天，他动身前往老家，再次试图筹集《铁笔》的启动资金。"我身处绝境——身体和心灵都极度悲苦，"他向一位声名显赫的资助人解释说，"我从正置我于死地的困难中摆脱出来的最后希望，就是亲自去找一个住在里士满附近的远房亲戚。"

那次旅行是一场灾难。尽管他走门串户，甚至向《南方文学信使报》编辑约翰·汤普森自荐，但还是栽倒在了酗酒上。"他在那里呆了约三个星期，喝酒凶得可怕，每天晚上都在酒吧里对着四周宣讲《我发现了》。"汤普森连拉带拽地把坡勉强送回纽约后对大家说。

他的评述是很实在的。汤普森发现，坡在做客期间什么也写不了；作家只是喋喋不休地说着《我发现了》，还直截了当地称它是自己的代表作。至于坡为何会觉得这部作品和自己的联系是压倒一切的——随便哪个陌生人愿意，他都会和对方大谈特谈——大家都必须读一下该作品的最后一段文字，这是一个关于宇宙崩塌回归其原初统一体问题的脚注：

> 注：对于我们将要失去个体身份的担忧和痛苦立刻
> 停止了，这时我们会进一步想到，就像上文描述的那样，这
> 个过程和吸收过程相比不多也不少，即是每个个体的智慧将
> 所有其他智慧个体（亦即是，宇宙智慧体）吸收进入自身的
> 过程。那个上帝应该是一切的一切，每个个体都必须成为
> 上帝。

坡写下这段话的时候，弗吉尼亚·坡入土还不到一年
时间。对于一个把一生的大部分精力都用来解开死亡奥秘
的人——生与死的临界状态，死亡对于活着的人幽灵般的
影响，对于死亡本能的恐惧——《我发现了》是一次郑重
的努力，想要解释那不可解释之物，不带虚饰地直面那个
主题。坡用尽各种手段都失败了，而这与其说是证明了坡
的失败，不如说是死神的失败，并且证明了死神可以搞得
哪怕是一位伟大作家都会在语言表达上乱作一团。

然而在坡自己的眼里，他的作品是成功的。因为现在
他已经对死神屈服了——或许太心甘情愿了。

1848 年 11 月 4 日，埃德加·爱伦·坡断定杀死自己的
时候到了。那是一个寒冷的星期六早晨，在普罗维登斯；
在旅馆里度过一个不眠之夜后，这位作家出门轻快地走了

走，整理一下心绪。那次散步没有作用——"魔鬼仍在折磨我，"他抱怨——途中正好路过一家药房，于是他想到一个好主意。他买了一剂鸦片酊剂，剂量足以杀死绝大多数人；他不想回旅馆房间，而是登上一列驶往波士顿的火车，然后写下一张自杀留言条，在到达他出生的那个城市时，他服下一盎司的鸦片酊，然后走去邮局，手里拿着那张临终留言。

他没有寄出去。

"到达邮局前，我的神智就彻底迷糊了，没能把那封信投进去，"他后来失望地写道。"鸦片酊被我的胃拒绝了，我冷静了下来，一个路人看着我也没觉异样——就这样，我痛苦不堪地回到了普罗维登斯。"

几天后，正是在那里，他被哄着坐下来拍了一张照片。1848 年的这张"未知之地"银版照相[1]是留存至今的这位十九世纪偶像的影像之一：坡，盯着不远处那未知之地，脸上微露着一丝懊恼，为的他躲过一劫之后那难料的前程。

他不应该这般孤独凄凉。但是弗吉尼亚临终前希望坡能和她的看护护士玛丽·休结婚的计划却出了岔子；他们淳朴的朋友喜欢坡，但是却假道学地被《我发现了》吓坏了。坡转而不切实际地迷上了美国最杰出的批评家和诗人

---

1 "未知之地"银版照相（Ultima Thule daguerreotype），自杀未遂四天后，未婚妻萨拉·海伦·惠特曼拉他去了当地这家银版照相馆拍下这张十九世纪银版照相最有名的肖像照之一，惠特曼取名为 Ultima Thule（拉丁语中"未知之地"），暗喻了爱伦坡本人及其诗作《梦之地》。

萨拉·海伦·惠特曼。她当时和尚且默默无闻的沃尔特[1]没有任何关系，但是——坡更感兴趣的——她是普罗维登斯一位律师的富孀。在通过一位中间人悄悄打听到她很钦佩自己的作品后，坡用假名给她写了一封信，试探她当时是否在普罗维登斯：

> 亲爱的夫人——
>
> 　因为参与收集美国最著名作家的亲笔签名，我迫切想要募得您的墨宝，若能蒙赐一纸回复，即便只言片语，我当视之为无上之荣光。
>
> 　　　　　　　　　　　　ResyYr mo. ob. st[2]，
> 　　　　　　　　　　　　　　爱德华·S·T·格雷

几个星期后，他谋划着在镇上巧遇她，并在寻求当场拿下她时又出人意料地中了头彩。在雅典娜图书馆，她漫不经心地和他聊起一首她喜欢的无名氏诗作，一年前发表在《美国评论》上的。他可读到过吗？那诗叫……《乌拉路姆》。

"让我大吃一惊的是，"她回忆说，"他告诉我他就是那

---

1 指美国大诗人沃尔特·惠特曼，沃尔特是 1855 年出版《草叶集》的第一版，并赢得爱默生关注，1856 年的第二版中收录了爱默生的赞扬信，此后名声大振。萨拉·海伦·惠特曼（1803—1878）第一次遇到爱伦·坡是在 1845 年，当时爱伦·坡正在普罗维登斯参加一位诗人朋友的演讲会。
2 书信末尾的敬语，"Respectfully your most obscure servant"的略语，意为"你最卑微的侍从敬上"。

首诗的作者。他侧身在我们就坐的凹进去的小隔间里拿起一本《美国评论》合订本，在封底写上自己的名字。"

这是一个信号，确定无疑：一天后，当他们俩走过一个墓园时，坡向她求婚了。

并非完美的一对。惠特曼的朋友中包括一些坡很讨厌的作家，而且和她一起生活的还有她极其溺爱孩子的母亲，都这么认为。坡没有被吓退，他试图用潮水般的情书打消海伦的疑虑——"如果我不穷——如果不是我昔日的过错和鲁莽败坏了我的道德名声——如果我富有，可以送给你人世间的荣华——噢那么——那么——我会多么骄傲地恳求——请求——祈求——跪求——哀求得到你的爱——至诚谦卑地——匍匐在你脚下……"

然而坡同时对另外几位女士也心存好感，也悲哀地意识到她们全都不能取代弗吉尼亚。他受够了这些孤寂的求婚行动，只求在波士顿了结此事。但是这个鳏夫向海伦·惠特曼的一再恳求并没有石沉大海；十一月底，她答应了，并计划在圣诞节期间举行婚礼。此时轮到她的朋友和母亲忧心忡忡了。"她在我看来是个好姑娘，而——你知道坡是个什么样的人。"编辑贺拉斯·格里利[1]对他的同道鲁弗斯·格里斯沃尔德表示了担忧，"你有没有认识惠特曼夫人的朋友，跟她如实讲讲坡的情况？"

---

[1] 贺拉斯·格里利，1811—1872，美国著名新闻人，《纽约论坛报》创办人。

　　没用多久那位孀妇就自己搞清楚了。婚礼前三天，坡未来的岳母命令他，必须与惠特曼家族在经济上切割关系，并承诺戒酒。他明智地答应了，并在第二天早晨在旅馆酒吧采取最后喝上一杯的方式以铭其志。几个小时后，婚礼泡汤了——彻底地。

　　坡转而带着一半没有结婚的轻松，和一半没能结婚的沮丧，以及对自己事业的全副担忧进入了 1849 年。由于辛勤写作《我发现了》和那些无用的情书，他耽误了很多可以来钱的工作；上一年他挣了 166 美元，刚刚够付房租，别提其他开销了。"我要振作起来，在文坛奋发有为，要比我过去三四年都更加卖力。"他向一位编辑夸下海口。

　　但帮助他东山再起的是并不可靠的工具《联盟的旗帜》，一份波士顿出版的图画周报，以"为百万人服务"的名义重新改版。评论界对它庞大的发行量并不见待。"你为什么为那家廉价的文学报纸写东西？"一个朋友单刀直入地问他——"是出版商给你的钱多？"事实的确如此，一些名人如弗朗西丝·奥斯古德、丽迪亚·西格尼[1]也给《旗帜》供稿。但是坡也承认，他们优秀的文学感受力在其中迷失了："无论我给他们寄去什么，我总感觉像是在走向卡普莱特家族[2]的墓穴。"

1　弗朗西丝·奥斯古德，1811—1850，美国女诗人，和爱伦·坡有过情诗唱和。丽迪亚·西格尼，1791—1865，十九世纪前半叶美国广受欢迎的女诗人。
2　卡普莱特，指莎士比亚戏剧《罗密欧与朱丽叶》中的朱丽叶。

当然，《旗帜》出于填补栏目的需要，哄骗坡步入了他自《百老汇日报》倒闭以来最多产的阶段；1849年2月至6月间，他发表了许多小说新作，其数量是他之前四年的总和。"文学是所有职业中最高贵的，事实上几乎是最适合男人的职业。"他在关于淘金热的漫天报道中宣称，"当然我也不会放弃能让我搞到加利福尼亚所有金子的任何希望。"

在他送往《联盟的旗帜》的众多篇什中，复仇故事《跳蛙》展现了坡在形式上的精妙。小说故事背景放在一个未知的时间，未知的地点，即他哥特式小说所钟情的模式，继续着《黑猫》和《一桶蒙托亚白葡萄酒》由酒精点燃的愤怒和冷血谋杀的主题。这一次，是一个宫廷侏儒对一个国王和他的议员们采取了恐怖报复行动。由于被逼迫喝下很多葡萄酒的缘故，他发疯了，哄骗那些受害人穿上涂有沥青、容易着火的亚麻服装，然后一边对着那群"臭烘烘、黑糊糊、恶心又无法辨认的一团"受害者手舞足蹈，一边从天窗里逃走："我不过是一只跳蛙，一个小丑——而这是我最后的小丑表演。"

这也非常可能是坡本人最后的表演：当《联盟的旗帜》悄悄给撰稿人发信说，他们无法再为稿件付酬时，坡的文学生产的虚假的春天就此终结。他回归自己最钟爱的幻景：自己拥有一本杂志，不再受制于这些不靠谱的编辑们。他的幻想，因为一位潜在的年轻投资者的一封适时的来信而意外复燃了，这个年轻人名叫爱德华·霍尔顿·诺顿·帕特森。只剩最后一环：帕特森想把这个新生的全国性文学殿宇的总部设在他毫不受人待见的家乡小镇，伊利诺伊州的奥阔卡……而且，他那份杂志须取名为《奥阔卡观察者》，而不是《铁笔》。

"不言而喻，有一些关键性的难点……"坡机智地暗示说，"您的居住地奥阔卡肯定是其中最主要的一个。"但是帕特森是他多年来见过的最意志坚定的赞助人，于是坡开始沿着东海岸游说以寻求订户，尽管玛丽亚姑妈对他的身体健康不胜焦虑。

"不要担心你的埃迪！"他离开时电话她。

几天后，坡冲进杂志编辑约翰·萨廷[1]位于费城的雕刻间，神色慌张，乞求能躲一躲。"你可能难以相信我跟你说的话——在十九世纪还会发生这样的事，"他嘴里不停地咕哝，"我必须躲上一阵子。我能在你这里呆一呆吗？"坡解释说他是乘火车来的，他听到隔几排座位的地方有人在密谋杀掉他。

"如果把我的这撮小胡子剃掉，就不容易被他们认出来，"他提议说，"你能借我一把剃须刀，让我把它刮掉吗？"

萨廷假装同意，并最终哄着剃掉胡子的作家一起上街溜达，然后来到一座水库边坐下。慢慢地，另一个故事冒

---

1 约翰·萨廷，1808—1897，美国著名艺术家，生于英国伦敦，1830 年移居美国，定居费城，在美国首创美柔汀金属雕版印刷法。

泡了。坡一直被关在当地的摩亚门辛监狱，在那里看到一口沸腾的大锅釜，亲眼看着他姑妈玛丽亚被锯掉双腿——先是"双脚，然后是齐膝盖锯掉双腿，再从臀部锯掉她的大腿，就这样一块一块地将她处死，全是为了折磨我"。坡语气平和，把这些幻觉当成了事实。他还坚称，他是因为伪造一张五十美元的钞票被关进监牢的。但是萨廷怀疑，蹲监狱是因为醉酒，不过几个小时，他就在审讯室被认出来——"哦，这不是诗人坡嘛，"他们说——于是就把他放了。

那些幻觉很可能是酒精引起的震颤性谵妄——到了四十岁，坡的身体终于开始反抗了。一周后，当他现身于同为哥特式小说家的乔治·利帕德[1]的门口时，他的状况更糟糕了——身无分文的坡在那片霍乱流行的地区游荡，肚子空空，脚上只有一只鞋。坡瘫倒在利帕德办公室的一角，双手抱着头。

"现在和我讲道理没有用；我必须死，"他在给姑妈玛丽亚的一封绝望的家信中写道，"完成《我发现了》之后，我没有理由再活着。"

利帕德竭尽所能安慰他——给他吃、给他穿，找来同道们支援他火车票继续其行程。但是当他帮助坡登上南去的夜班火车时，利帕德在他老朋友身上感觉到了某种异样。"他拉住我的手，抓了好长时间，像是不愿离去，"他回忆

1　乔治·利帕德，1822—1854，美国小说家，剧作家，社会活动家。

说，"——在他的声音、表情和举止里，有某种不祥的征兆，像是他那古怪、狂风暴雨般的生命已接近终点。"

　　返回童年家园里士满的旅程一上来就很凄惨：他是穿着监狱里的一身破黑衣踏上去往夏日南方的旅程的。"我的衣服太破了，病得也太厉害了，"快到里士满时他给玛丽亚姑妈写信说。更糟的是，他的诗歌演讲稿，原本是带着准备一路演讲一路筹钱的，却在费城时从行李箱里不见了。"我到这里来的终极目标也告吹了，除非我能找到它们，或者重写一份。"他悲叹道。

　　到里士满时，他口袋里只剩下两块钱，但雪中送炭的救命草到了：一张他的奥阔卡恩人寄来的五十美元支票。坡整饬一新，买了顶神气十足的夏帽，然后去找自己大学时的女友。艾尔米拉·罗依斯特不仅仍然生活在里士满，还孀居了，拥有差不多一万美元的家产。某个星期日早晨，她正忙着去教堂，这时，她回忆说，"一个佣人告诉我，有位绅士在客厅里想见我。"她下了楼，立刻认出了他。

　　"啊！艾尔米拉，是你吗？"他喊道。

　　她不去教堂礼拜是不成的，等到他再来拜访时，他已经下定了决心：他认为他们应该结婚。"我笑了起来……"她承认，"接着我发现他是认真的，于是我也认真起来。"

　　他真够认真的，告诉一位医生说要戒酒；他真够认真的，重写了讲演稿《诗歌原理》，并宣布要在当地一个音乐厅发表演讲。坡对着满满一屋子人发表演讲；并以背诵《乌鸦》这一令众人痴狂的方式结束。这是他拜见里士满社交界的一张名片，他们的诗人回家了，而作为加演节目，他还带来一个惊喜：1849 年 8 月 27 日，他加入了戒酒兄弟会当地分会。坡真的成为一个非常认真的求婚者。当他一个月后在里士满再次发表演讲时，人们可以看到罗依斯特夫人就坐在前排，看他表演《乌鸦》，背诵拜伦、丁尼生，还有——是的，甚至还有朗费罗的诗。

那个九月，坡幸福得无以复加——他说，这是他一生中最好的几个星期，尽管另有一半仍旧伴随着他最难摆脱的一贯的忧苦。往昔如影随形：小妹罗莎莉·坡在由另一家人抚养长大后，仍住在里士满，此时正忠心耿耿地跟随在他身旁，他也乐意派她点事跑跑腿。拜访孩提时代的老朋友时，他的清醒冷静让他们惊讶；他还和他们一起在青年时就荒颓的邻居家的废墟中漫游，在一条残留的长满青苔的破凳子上坐坐。

"这里过去常常有白色的紫罗兰，"他嘀咕说，随即走进那破败的屋子。一位朋友还记得，在进入倒塌的客厅时，他纯粹出于习惯停顿了一下，礼貌地取下帽子。在一些陌生和意外的地点，各种记忆潮水般浮现。受邀在诺福克一个小型聚会上做演讲时，他刹那间被一位女士的鸢尾草香水味震住了。

"你知道它让我想到什么吗？"他问她，"我的养母。无论何时打开她房间里的写字台，都会有一股鸢尾草的香味，而且自那以后，只要我闻到这味道，我就回到了自己小男孩的时光。"

　　九月底，传闻说坡和艾尔米拉订婚了，或者至少是他们达成了小心谨慎的谅解；然而首先，商务事宜正在召唤他离开，有《铁笔》需要考虑，还要就婚礼征询在纽约的玛丽亚姑妈的意见；他还得到了一个有利可图的一百美元的工作机会，要他在费城停一停，为一位钢琴制造商的妻子编订诗集。所以他向艾尔米拉郁郁不安地告别——"他非常伤心，抱怨说病得很厉害，"她回忆说——在一个医生办公室停留一下后，坡于9月27日凌晨登上了一艘从里士满码头出发的汽船。

　　谁都不清楚接下来发生了什么。10月3日，约瑟夫·斯诺德格拉斯博士，坡在巴尔的摩的一位文学界朋友，是他十年前率先发表了《丽姬亚》一诗，他接到下面这张紧急便条：

　　巴尔的摩市，1849年10月3日

　　　　有一位衣着褴褛的先生，在瑞安的第四选区投票站，据说名叫埃德加·爱伦·坡，情状很痛苦，还说他认识您，而我向你保证，他急需帮助。

　　　　　　　　　　　　　　　　　　　您的朋友，

　　　　　　　　　　　　　　　　　　　乔斯·W·沃克

斯诺德格拉斯飞奔至附近的这家酒吧，找到了目光呆滞、不省人事的坡——"已经醉得神智不清"——而在他不省人事的时候，他的外衣被人抢走了，或是被他典当了，换成一件沾满泥巴的薄衣。那个周末一直在下雨，只有五十多度[1]，"空气潮湿得仿佛能挤出水来"（一位当地人说），而坡很可能淋过雨。坡在当地的亲戚们都拒绝提供帮助，无奈之下，斯诺德格拉斯把他送进了华盛顿大学医院。"他人事不省，"他写道，"我们不得不像抬一具尸体一样把他抬上四轮马车。"

10月5日凌晨三点，坡开始剧烈抽搐，浑身冒汗。到当天下午，医生能听到的只是断断续续的呓语，模棱两可地猜到他"有一个妻子在里士满"。约翰·莫兰医生告诉陷入谵妄中的患者说，不久他就可以康复去看他的家人和朋友了。

"听到这话，他又大肆狂躁起来，"莫兰医生说，"并且说，他朋友能做的最好的事情就是用手枪把他的脑壳崩掉。"

接下去的两天里，坡在不安的昏睡和暴烈的幻觉中来回折腾，发作时需要两名护士才能摁住他。星期六晚上，莫兰医生说，"他开始喊一个叫'雷诺兹'的人，整个晚上一直在叫，直到星期天凌晨3点。"雷诺兹很可能是那个极

---

1 这里的度数应该是华氏温度，50℉相当于10℃，60℉也不过相当于15.5℃，所以相当冷。

地探险家杰里米亚·雷诺兹，坡曾经在《亚瑟·戈登·皮姆述异记》中采用过这个名字——他的地球空心理论曾大胆提出，南极洲可能有通往那个隐秘王国的入口。

这是进入地下世界的一个恰当的引祷词。当天早晨五点，埃德加·爱伦·坡遭遇了他在《致安妮》一诗中预言的命运：

> 感谢上苍！危机——
> 危险已成呜呼，
> 而徘徊的病痛，
> 终告结束——
> 一种叫作"生活"的热病
> 已终告征服。

他是第二天下午落葬的，到场的只有十来个人，其中还包括殡仪馆的人。一名见证者嘲笑说，仪式"总共不超过三分钟，是这般的冷血，这般的不像基督徒，激起我一身的怒火"。仪式结束了，安放坡遗体的坟地没有任何标志。

坡的死讯迅速传开了。举行葬礼的那天早晨，《巴尔的摩太阳报》没有发布讣告，只是哀悼说，他的死"将令所有爱慕天才的人痛心，对天才时常拥有的虚弱感到深切同情"。再一天，沿大西洋海岸一路到纽约都登载了类似报道，即便是《纽约论坛报》上那份最尖刻无情的讣告——"他朋友寥寥，甚至没有朋友。"——都承认坡是个天才，他的演讲"表现了超凡脱俗的口才"，并称赞他崇高的浪漫主义人格："他从来就是个梦想家——栖身于理想国——天堂或是地狱——与各种动物和意外事件共处。"不到一个星期，出版他的作品集的计划就落地了，由牧师鲁弗斯·格里斯沃尔德担任编辑。

事实上，坡的文集编撰者不是别人，正是《论坛报》上那篇不善讣告的作者。根据某些人的说法，他是坡亲自挑选的，这个选择不足为怪：格里斯沃尔德因为其1842年的《美国诗人与诗作》和1845年的《美国散文作家》，已经成为美国名声最显赫的文集编撰家。他认识坡将近十年，结果亦喜亦忧；虽然坡在1841年称格里斯沃尔德是"一位品味高雅、判断力健全的绅士"，而他称赞坡"想象力高远"且"卓然超绝"，但是两人之间也时不时爆发不共戴天的仇斗。在坡1842年离开《博顿绅士杂志》，格里斯沃尔德接替他的位置之后，这种情况丝毫没有改观。但两人都采取实用主义的态度，达成小心翼翼的休战协议，而且格里斯沃尔德对坡的才华的倾慕是显而易见的：他在自己《小说作家论》一文中，给予坡的篇幅比库柏、霍桑，甚至华盛顿·欧文都要多。对坡而言，将自己作品的汇编工作交到格里斯沃尔德手中，从个人关系角度是尴尬的，但却是一项精明的商业决定。

"坡不是我的朋友——我也不是他的朋友——他没有权力把编辑自己作品的责任委托给我,"格里斯沃尔德在那个月的晚些时候向詹姆斯·拉塞尔·洛威尔抱怨说,"可是他这么做了,这种情况我不可能拒绝,况且还有他朋友们的共同愿望。"

格里斯沃尔德行动迅速:一边交代坡的同代人洛威尔和 N. P. 威利斯撰写并整理回忆文章,一边在报纸上刊登广告和启事,征集坡的手稿及往来信函。散失的、未曾发表的作品迅速现身:由格里斯沃尔德编定的坡最后一首诗作《安娜贝尔·李》立即见刊发表,接着坡曾经的管家兼看护玛丽·休被证实是他死后出版的诗作《钟声》的灵感来源。诗中那催眠术一般不断重复的诗行"发自那钟铃,钟铃,钟铃,钟铃……"很快就和《乌鸦》一起成为大众的最爱。更多的书信、故事、诗歌,以及各种零碎小文章如潮水般涌来;在坡死后不到三个星期,就已经有六个员工在为纽约出版商 J·S·雷德帕斯[1]动手排版了。

《已故埃德加·爱伦·坡作品集》是在他 10 月 8 日葬礼后以惊人的速度编撰结集的,并于 1850 年 1 月 10 日到店销售。作品分两卷,绿色布面包装——第一卷叫《故事

---

1 本书此处所说的出版商是 J·S·Redpath,但是据巴尔的摩埃德加·爱伦·坡学会网站的资料显示,当时的出版商应为 J·S·Redfield。https://www.eapoe.org/works/editions/grvolI.htm[20171012]。——译者注

集》，第二卷叫《诗作及札记》——它们标志着坡作品荣列世界文学经典。坡身前从没有和任何一家杂志、流派或出版商有过稳定联系，积累起稳定的读者群；可以想象，也没有一位倾慕者或批评家曾经见到过他全部作品的绝大多数。詹姆斯·拉塞尔·洛威尔对坡的文学批评的评语，同样非常适用于坡的所有作品："他挖出许多巨石，足够建造一座永恒的金字塔，但他随意丢弃它们，任其散落在采石场的四面八方无人问津。"

合编后的两卷文集共有一千页，坡的文学成就终被全面确定。然而，格里斯沃尔德对坡的人身攻击令乔治·格雷厄姆大发雷霆——他曾聘用他们二人担任杂志编辑，他在文中说格里斯沃尔德"绝非坡先生的同道"，且死盯着坡的贫困和酗酒，这"几乎是背信弃义的行为"。当格里斯沃尔德在那一年的晚些时候将坡的评论和"文人"特写合编为第三卷出版后，格雷厄姆从中发现了更多令人鄙视的地方，文集的传记性前言重复了很多最恶毒的人身攻击言论，也不管是否是事实——声称坡曾被弗吉尼亚大学开除，一向"嗜酒成性"，还身负债务无力偿还。

"想想那个恶棍格里斯沃尔德在众人面前扒拉我那可怜可悲的埃迪的各种错失，"怒不可遏的玛丽亚·克莱姆写道，"却不怀一丝宽容，对他优良品质不置一词……你没有想过去死吗？像是你希望关闭这个世界以及有关它的一切？这就是我的感觉。"

　　格里斯沃尔德所写的传记总体上没有大问题；里面许多不准确之处都源自坡自己的那些牛皮大话。但是，就格里斯沃尔德凭借坡的书信，不知疲倦地强调他的各种缺点而言，则开启了一场诡秘的诽谤之路。他手段高明，躲开玛丽亚姑妈的检查，重写了坡的一些书信，塞入一些卑鄙的忘恩负义之词，又掺进一些对格里斯沃尔德本人的奉承话。"您对我太了解了，"他借用坡的口吻津津乐道，"……我可以真诚地说，再没有谁的赞许能带给我如此多的喜悦。"差不多花了大半个世纪的光阴，人们才从坡的书信中剔除了格里斯沃尔德这些丢人现眼又可悲的话。

　　但是格里斯沃尔德针对坡的家人最恶毒的侵犯是：合同。没有任何记录表明坡曾留下遗嘱；如果他死时没有留下遗嘱，那么他的财产就应该移交给他的妹妹罗莎莉。然而，坡的各种权益事实上是由玛丽亚姑妈和格里斯沃尔德洽谈的——而且几乎没有得到任何回报。虽然出版的书中有一个短笺，是她感谢格里斯沃尔德"出于我的利益考虑"出版那些书籍，但玛丽亚·克莱姆只拿到几本样书作为酬劳，而那些样书都因为贫困所迫被她卖掉了。最早站出来为她说话，帮她摆脱圈套的人之一是亨利·瓦兹沃斯·朗费罗——正是这位诗人，他常常既是坡崇拜的对象，又是坡不可思议的尖酸讽刺的靶子。

　　毕竟，朗费罗很懂坡。作为一位哈佛诗歌和语言学教授，他生活优渥，并受到文学建制派的尊敬——简而言之，他的生活正是坡所渴望的——他凭直觉就知道坡的妒忌，就像他懂得坡的天才一样。和格里斯沃尔德不同的是，他早已原谅坡："他评论中的刁钻尖刻，"朗费罗写到，"我从不会将其归咎于别的，而恰恰是他敏锐天性的苦恼，由于某种不确定的缺失被激发了。"

呜呼，格里斯沃尔德可不会善良若此。不过即便他歪曲了坡的人生，他对坡艺术作品的编选对那个时代而言却是完美有益的——是如此的完美，以至于众人都说，坡在将自己的名声托付给他这方面充分证明了自己的智慧。甚至J·M·丹尼尔，一位对坡非常凶狠的批评家，两人曾差点决斗，也为此感动，并在读过《作品集》之后写下如此的预言："今天的人们都在追逐普雷斯科特和威利斯这样的作家……而他们的子孙，在回访这段文学史时，将会说'这是属于坡的时代'。"

通常认为，坡身后遭污名有数代人之久，这在任何一位出版人看来都是可笑的，因为《作品集》在那些年里卖出了数十万本。坡个人生活中的诸多缺点，真实的或想象的，很可能对他的读者群没有造成多大影响，就像类似情形对于他心目中的偶像拜伦和柯勒律治一样。到了1860年，他已经被美国公众彻底拥入怀中：由众多参议员和法官组织的"乌鸦俱乐部"每周都会在首都华盛顿特区举办一场文学沙龙；甚至布坎南总统也参加过一次。林肯也不甘落后，他在记述当年总统竞选的传记中也鼓吹说，他以读三位作家的作品为乐：罗伯特·彭斯、威廉·莎士比亚和埃德加·爱伦·坡。亚伯[1]"很喜欢坡的故事和随笔中那些纯粹的逻辑推理手法，故事中提出一些神秘的问题，然后用巧妙的分析，精巧地复原每天的真相。据说，他每年要是不读读这位作家的书就没法过。"

这是一个很具说服力的评判，足以说明作家只能掌控自己写什么，却不能掌控读者们读什么。坡认为自己那些推理故事只是某种业余消遣，最爱仍是诗歌和"散文诗"《我发现了》。《乌鸦》的确是坡生前最受欢迎的作品，时光也不能磨损其魅力——但是作为艺术，它显然是保守的。诗人们在沃尔特·惠特曼和艾米丽·迪金森之间能找到亲缘关系，但是要想找到多少人对坡有深刻影响则勉为其难。正是因为娴熟的声音叙述艺术——还有侦探小说的开创——才使得坡成为一位被林肯乃至全世界都将他和莎士比亚相提并论的伟大作家。

不过，美国本土外一位真正的诗界同行夏尔·波德莱尔，才是坡最伟大的拥戴者。波德莱尔1847年在法国首次读到坡的作品，如同找到了自己的难兄难弟。"我欣喜若狂，"他后来解释说，"……我找到了渴望的诗歌和小说，虽然只是一种朦胧、混沌、凌乱的方式，而坡已经能完美

1　亚伯，亚伯拉罕·林肯的简称。

无缺地处理了……邂逅他的书，令我惊愕又狂喜，不仅因为那是我梦寐以求的某些主题，还包括我曾想到过的许多词句，他在二十年前就写出来了。"

坡堪称法兰西的养子。经过波德莱尔在 1850 和 1860 年代不知疲倦的翻译介绍，坡为美而美的诗歌理念向着正在成长的一代波希米亚人和颓废派诗人开口宣讲；他的科幻小说深深感动了儒勒·凡尔纳，令他写出小说《冰雪之地的斯芬克斯》，作为《亚瑟·戈登·皮姆述异记》的续篇，将之敬献给坡。费奥多尔·陀思妥耶夫斯基读到的也正是波德莱尔的译本，令他为 1861 年的俄语版《作品集》撰写了序言，而他当时正身处其杰作《地下室手记》备受折磨的叙述难关之中。

但是，最狂热于坡作品的读者也被证明是最具影响力的。"坡的人格和他的作品受到苏格兰诸多大学里形而上学思想家们的尊崇，" 1875 年的一份报纸报道说。正是在这一年的秋季，爱丁堡大学招收了一名年轻人，名叫亚瑟·柯南·道尔。从坡的杜宾系列故事中，这位医学学生发现了将其接受的身体检查与诊断的训练转化成艺术的催化剂。其结果是诞生了那个时代的一项伟大文学创造：夏洛克·福尔摩斯。

"如果每一个因为间接受到坡启发而写出故事的人都为这座纪念碑纳捐的话，"道尔后来开玩笑说，"这座纪念碑将会令金字塔相形见绌。"

　　实际上，纪念坡的一项更加庄重的动议在 1875 年秋天正式通过了。风言风语传了好多年，说坡是被丢弃在一个野坟堆里。而在 1860 年，他姑妈玛丽亚在听到更糟糕的情形后，给坡在巴尔的摩的堂弟尼尔森·坡写了一封信："刚才，一位巴尔的摩来的女士来拜访我，说她去看过我亲爱的埃迪的墓，说坟墓在一个教堂的地下室里，上面堆满垃圾和煤块。这是真的吗？"这不是真的，但是那位曾经在坡生命的最后时刻力图挽救他却没能奏效的斯诺德格拉斯博士，在 1856 年无情地诘难说，真实情况"是糟糕的，对他的亲戚们来说是丢脸的，更不必说他死在的那个城市了。"一座新教堂已经建起，占去那块墓地很大的一块，他警告说，坡那座孤零零的坟墓不久真的会找不到了："'可怜的坡'的尸骨很可能会和那些无亲无友、无名者的尸骨被一起收走，再无法辨认，因为他的坟墓上什么也没有，除了用来充当墓石[1]的几块松木板。"

　　命运本身似乎也在搅局：尼尔森·坡终于订购了一块墓碑，可一辆机车冲进了石匠的工作室，将那块墓碑撞得粉碎。之后，随着内战即将爆发，这项计划和许多其他计划一样被搁置一旁。直到 1871 年，玛丽亚姑妈去世，被葬在坡的身旁，此时他的墓依然没有任何标记。最后，拯救美国这位忧郁浪漫的诗人的行动将不得不依靠——一群女

---

[1] 墓石一般是一块长方形的石块，盖在墓室的上面，上面刻写逝者的姓名、生卒年月等。墓碑一般是立在墓室的一端。

教师。

"她们将召开一次会议，组织一场文学娱乐活动，"《巴尔的摩太阳报》在1865年曾报道说，"学校女教师们"正在活动，要"在城里购买一块合适的纪念碑以纪念已故的埃德加·A·坡。"

一分一厘地积攒，孜孜不倦地寻找赞助人，精心策划各种资金募集活动，历经十年，她们的大理石墓碑终成现实。她们还在墓园里找了一块显赫的地点作为坡和姑妈玛丽亚的安息地，但这意味着必须移动他们的遗体。教堂杂役是这方面老手，坡最初的安葬也是他操办的。但是廉价的棺木很脆弱；当泥土被清理掉，棺材上面的一个角塌了，里面的栖居者宽宏大量地露出来，让众人最后惊吓了一回："棺材里除了尸骨骷髅什么都没有，"当地一家报纸报道说，——接着以一种值得坡享受的笔调继续写道，"可脑壳上还粘着一些头发，完好雪白的牙齿从颚骨上震落下来，躺在棺材的底部。"

他被小心地移送至新的地点，纪念碑则要等到1875年11月一个寒冷的日子才揭幕。城里的学校当天放了一天假，超过一千名巴尔的摩人从墓园近旁的集会大厅涌出来；走廊里也挤满了观众，还有从四周房子的窗户里探出身子的。除了巴尔的摩的学校教师，人群中还能看到一位身材高大、胡须灰白的名人——沃尔特·惠特曼，差不多三十年过去了，当年他还是一位年轻自信的布鲁克林印刷工时，坡就在《百老汇日报》上发表诗作了。和他一起的还有一些人，脑海里都回旋着对坡活生生的记忆：坡的堂弟尼尔森·坡、老同学乔·克拉克，以及约翰·拉楚伯——当年《星期六游客报》征文比赛的评委之一，而正是1833年的那次比赛带给坡第一次真正的突破。

拉楚伯在讲话中回忆的那个人并不是一位阴郁的传奇诗人，而是一个刻苦、想象力超群的手艺人：他第一次见到埃德加时，这个年轻人正忙着构思《汉斯·普法尔的非凡历险记》的月球骗局，迫不及待地向他描绘一个制鞋匠乘气球飞到月亮上去的奇妙故事。"他升得越来越高，最后，直到他到达天空中的某个位置，月球的引力大过了地球的引力，"老编辑追忆着坡就那个突然翻转过去的载人舱的解释，"说书人变得非常激动，兴奋地说个不停，手舞足蹈，而当那上下颠倒发生时，他为了强调而拍起手，使劲地跺脚，连我也受到了感染……他为自己的兴奋道歉，还自我解嘲地大笑起来。"

集会队伍继续走向新墓地，那里将是埃德加、弗吉尼亚和玛丽亚姑妈的安息地，令这个奇特的家庭重新团聚，这个家是坡一生的痛苦与安慰。在那里，众人朗诵了他的最后一首诗《安娜贝尔·李》——而那首诗的最后几行是一个艺术家安息时的道别：

就这样，伴着潮水，我整夜躺在

爱人身旁——我的爱——我的生命，我的新娘

在海边那个石墓里——

在哗哗响的海边那个坟墓里。

注释

　　鉴于本书是一本生平传略，我将免去读者们的麻烦，不再对关于坡的研究的常规作品中通常都包含的各种史实作注（参见附录"延伸阅读资料精选"）。然而，就一些并不常见，甚或是本书独有的资料，我注释如下。

　　1　《幸运之子》（1809—1827）

　　有关坡夫妇戏剧表演的众多票房公告，可以参阅《保留剧目》（波士顿）1807年9月18日，1808年3月11日，1808年3月18日；《民主党人》（波士顿）1808年2月3日，1808年4月20日，1809年3月4日，1809年4月19日。另外三位同行的票房公告可以参见《波士顿镜报》1809年3月11日，1809年4月15日，1809年4月29日。

　　埃利斯与爱伦杂货店的货品清单，可以参阅他们1811年10月18日在《里士满询问者报》登载的广告；爱伦一家从国外返回曼哈顿，可以从1820年7月2日的《纽约商务广告人报》上窥见一斑。大学广告可见1826年12月27日的《里士满询问者报》。

　　威廉·马福尔的《英语拼写手册》（1803）被引用为坡当时的教材，而"诗句接龙"的例证则出自《鲜活时代》（1886年10月）的"诗句接龙"。

　　布兰斯比牧师关于坡的回忆，可参见威廉·伊利亚·亨特发表于《雅典娜神庙》的文章《坡和他的英语老师》（1878年10月19日）。很多传记都援引坡的《威廉·威尔逊》来描写布兰斯比的学校，然而亨特确信，"故事中的布兰斯比博士，除了名字，其他都是坡想象出来的产物，学校建筑也是如此。"

2　《瓶中手稿》（1827—1838）

虽然关于坡考虑加入希腊民族革命的描述已经被视作纯粹的想象，但是 1827 年 5 月 28 日的《埃塞克斯注册者报》的确提到，波士顿的一个希腊委员会曾计划派送志愿者作前线补给。

就笔者所知，《断片》作为埃德加作品的可能性，在之前坡的学术研究中并没有被关注。埃德加和亨利·坡 1827 年在短命的《北美杂志》上发表的作品肯定还是一个少人问津且迫切需要一探究竟的研究领域，尤其是因为该出版物本身十分稀少。本章中提及的那几期里登载了《最幸福的一天》（1827 年 9 月 15 日），《梦想》（1827 年 10 月 20 日）和《断片》（1827 年 11 月 3 日），并可以在缩微胶卷上找到它们。有关这个主题的赫维·艾伦的《坡的哥哥：威廉·亨利·伦纳德·坡的诗》（1926）一书如今既破旧且不易找到，但是很有帮助，特别是其中收入了一些文章的影印图。

需要对坡的奇怪婚姻作法律依据确认的八卦读者，可以查阅《修订版弗吉尼亚法典》（1819）第 398 页至 400 页。

3　锦绣前程（1838—1844）

坡那个时代，报刊对于谜题的兴趣不断上涨，但从没有受到学术界应有的重视；不过，对这类有兴趣的，可以在《伦敦制谜者，或逗趣变得轻松的艺术》一书中觅得一鳞半爪的感受，还可以在更早的先驱者如乔纳森·帕泽尔的《迷宫》（1753）中找到。坡的一些密码题和谜题由克拉伦斯·S·布里厄姆收集于《埃德加·爱伦·坡的〈亚历山大每周信使报〉撰稿》（1943）；这些都可以在埃德加·爱伦·坡网站（eapoe. org）上轻易找到。

坡的一道密码题——源自他在《格雷厄姆杂志》最后一期的谜题栏，而他声称自己不屑于刊登答案，故一直没有被破译。直到 2000 年，多伦多一位软件工程师吉尔·布罗扎将其成功破译。由于原先的一些印刷错误，题目变得非常令人费解，但最终被证明是一个有关太阳/儿子（sun/son）与空气/继承人（air/heir）的双关语题：

早春时节，午后的阳光温暖、溽热，阵阵微风像是要让大家分享寰宇甜美的倦息，送来混杂了各式香氛的馥郁芬芳，玫瑰、-essaerne[1]，忍冬花，以及各种野花。花儿们缓缓地送出香气，升腾至敞开的窗前，来到坐在那里的一对情人身边。热情的阳光点亮她绯红的脸庞，那温柔美丽不像是地上人间，而是罗曼司的创造，或美妙梦境的激发。她的爱人温柔地凝视着她，多情而调皮的微风拂动她的簇簇卷发，当他看到阳光正粗鲁地照射在情人脸上时，他跳起来去拉上窗帘，却被她轻轻地拦住。"不，不，亲爱的查理，"她轻轻地说，"我宁愿晒点太阳，也不要失去新鲜空气。"

虽然有人怀疑这段文字是否坡写的，可我发现，它之前曾登载在 1840 年 7 月 4 日的《巴尔的摩太阳报》上；而它又是以最初发表在 1813 年 6 月 21 日的伦敦《晨间先驱报》上一首被广泛重印发表的诗歌《婚礼巧答》作为基础。哈佛大学图书馆收藏的一份海斯特·斯雷尔（即海斯特·林奇·皮奥齐）[2]的手稿似乎表明，她才是那首诗真正的作者。

至于坡过去的健身馆，它那有趣的主人萨缪尔·巴雷特的生平故事，有可能已经遗失在历史长河中，如果不是在他妻子玛丽·巴雷特的讣告里提到的话；这可以在 1888 年 1 月 18 日的《每日小报》（新奥尔良）上找到。

詹姆斯·克提斯的《玛丽娅·马腾谋杀案》（1827）在我 2006 年 11 月发表在《信徒》上的文章《捕鼠人的女儿》中有更深一层的探讨；帕特丽夏·克莱因·科恩在其 1999 年的研究《海伦·朱伊特谋杀案》中，细致讨论了《纽约先驱者》和詹姆斯·戈登·本内特的角色。

自称是基德船长的妹妹的一份声明发布在 1842 年 8 月 4 日的《时代小报》（新奥尔良）上；可笑的投机性的《金甲虫》投注广告登载在 1843 年 8 月 14 日的《巴尔的摩太阳报》上。

1　原文如此，该词前面缺少一个字母，令人无法理解，从前后文看，应该是一种花。

2　海斯特·斯雷尔，1741—1821，英国作家，其日记与书信涉及萨缪尔·约翰逊以及十八世纪社会生活的众多重要信息。原名海斯特·林奇·萨里斯伯里，后嫁给亨利·斯雷尔，亨利去世后再嫁了意大利音乐教师加布里埃尔·马里奥·皮奥齐，即海斯特·林奇·皮奥齐。

4　美国莎翁（1844—1847）

本章开头的城市生活是根据 1844 年 4 月 6 日的《纽约论坛报》概括出来的；福德汉姆缓慢的生活节奏可以从 1844 年 10 月 20 日《先驱报》的头条新闻《福德汉姆耕地大赛》中获知。

在坡的气球骗局之前，报纸上有关乘气球横越大西洋故事的例证有，1800 年 2 月 8 日的《纽约商业广告人报》，1825 年 5 月 12 日的《南方爱国者》（南卡罗莱纳，查尔斯顿），以及 1840 年 1 月 10 日、1840 年 5 月 4 日、1843 年 6 月 15 日的《巴尔的摩太阳报》。

围绕基德船长宝藏的"发现"和之后的各种欺诈手法可见于 1844 年 7 月 2 日、1844 年 7 月 5 日和 1848 年 1 月 3 日的《布鲁克林鹰报》；1847 年 7 月 22 日的《南方爱国者》（南卡罗莱纳，查尔斯顿）上的《基德骗局——故事的爆发》一文。1845 年 1 月 8 日《晚镜报》（纽约）上关于这桩奇遇的故事很可能是坡本人写的——当时他在那里担任编辑，而即便他没有写基德追踪者的文章，他也一定知道。

坡创作那首竞选歌曲的时间，见 1875 年 11 月 17 日《布鲁克林每日鹰报》上的回忆文章，以及刊登在《爱书人》（1899—1900 冬季，第一卷）上的《埃德加·爱伦·坡：加布里埃尔·哈里森回忆录——演员，住在布鲁克林》。

玛丽亚·克莱姆欠税，由 1846 年 1 月 9 日《巴尔的摩太阳报》发布的一则告示披露出来，而 1846 年 2 月 14 日的《纽约论坛报》上载有情人节当天额外雇佣快递员的消息。格夫夫人记载的傅立叶农场的工作可见于 1845 年 3 月 15 日那一期的《先驱周报》（纽约）。

5　永不再来（1848—1875）

坡的演讲广告和赛况一瞥，可见于 1848 年 2 月 2 日、3 日、4 日的《纽约先驱报》；1848 年 2 月 4 日的《晚间快报》，1848 年 2 月 3 日、8 日的《纽约论坛报》也载有有用的相关信息。

坡被人发现那个周末的天气情况，来自 1849 年 10 月 4 日的《巴尔的摩太阳报》。坡去世后的那些年里，一些报纸对他的遗体表示担忧，本章引述的样本出自 1854 年 9 月 12 日《特伦顿政府报》，而斯诺德格拉斯博士的怨言则重印于 1856 年 6 月 28 日的

《威斯康星星爱国者周报》。

关于坡的死因的争论广为人知，尽管当时普遍认为是因为酒精（而且十分合理）。"为什么不接受这个事实？"纽约的《先驱周报》在 1849 年 10 月 20 日发问道，"严重酗酒是我们优秀诗人和浪漫主义作家们经常会犯的毛病。"

乌鸦俱乐部的有关细节可在 1860 年 2 月 4 日、1860 年 12 月 8 日《立法会》（华盛顿特区）的"城市情报"栏窥见一斑。

在为坡设立纪念碑的各种呼声中，巴尔的摩教师们的呼吁最早出现在 1865 年 11 月 7 日的《巴尔的摩太阳报》；十年后，同一报纸 1875 年 11 月 18 日的头版刊载了墓碑揭幕的长篇报道。报道中包含很多细节，比如有一千名观众到场、学校放假一天等。《埃德加·A·坡：纪念册》（1877）也对仪式情况进行了描述，该书在 eapoe. org 网站上有电子版本。

尽管坡的妻子弗吉尼亚遗体迁移花费数年才实现，但该项动议在坡墓碑落成仪式时就慎重提出了。具体记载可见 1875 年 10 月 8 日和 1875 年 10 月 11 日《巴尔的摩太阳报》上的有关文章。

柯南·道尔关于侦探作家们都亏欠坡一份债的评述，发表于 1909 年 3 月 2 日《纽约时报》上的文章《在伦敦向坡致敬》；这番话时至今日依然正确。

延伸阅读资料精选

Primary Documents

The Poe Log, ed. Dwight Thomas and David K. Jackson (G. K. Hall & Co., 1987).

> Clearly a labor of love, this chronological montage of letters, journal en-tries, and newspaper clippings models itself to great effect after Jay Leyda's *The Mealville Log* (1951). Although necessarily selective, this documentary approach conveys the breadth of Poe's life and interest better than most erstwhile biographies-it is a reference work that doubles as a very illumi-nating narrative on Poe. The entire text has been helpfully included on the eapoe. org website.

The Collected Letters of Edgar Allan Poe (3rd edition), ed. John Ward Ostrom et al. (Gordian Press, 2008).

> A key resource in Poe scholarship, this is the most recent expansion and revision of previous 1948 and 1966 editions of Poe's collected letters. Ear-lier collections of Poe's correspondence are not as trustworthy, particularly given the baleful influence of Griswold's forgeries.

Collected Editions of Poe

UNIVERSITY OF ILLINOIS PRESS EDITIONS

Complete Poems. Ed. Thomas Mabbott (2000).

Tales & Sketches, *Vol. 1*: *1831 - 1842*. Ed. Thomas Mabbott (2000).

Tales & Sketches, *Vol. 2*: *1843 - 1849*. Ed. Thomas Mabbott

(2000).

Eureka. Ed. Stuart Levine and Susan F. Levine (2004).

Critical Theory: The Major Documents. Ed. Stuart Levine and Susan F. Levine (2008).

Though the reprinted Mobbott volumes call out for a modern update, these annotated editions are the best scholarly editions for the close study of Poe.

Edgar Allan Poe: Poetry and Tales (The Library of America, 1984).

Edgar Allan Poe: Essays and Reviews (The Library of America, 1984).

Sturdy editions that capture the full range of Poe's works, the ready avail-ability of these volumes makes them useful for graduate-level work.

Edgar Allan Poe: Complete Tales and Poems (Vintage Books, 1975).

Cramped, cheap, and nearly complete: its art-nouveau cover has been a campus icon for generations, and with good reason. This edition remains the classic undergrad text to this day.

The Portable Edgar Allan Poe, ed. Gerald Kennedy. (Penguin Books, 2006).

A thematically arranged selection of Poe's best-known works. While it can't quite convey his range and idiosyncrasies, it's a handy annotated edi-tion of his classics.

Biographies

Edgar Allan Poe: A Critical Biography. Arthur Hobson Quinn (Johns Hopkins University Press, 1941, 1998 rpt.).

Seven decades on, this remains the greatest and most complete of Poe bi-ographies. Quinn is unfaraid to quote — and to quote often — form docu-ments for pages at a time, sometimes acting less an interpreter than as a well-informed guide through a Poe archive. While correcting Griswold's depredations loomed larger in 1941 than it needs to today, Quinn's work remains largely unsurpassed.

Edgar A. Poe: Mournful and Never-ending Remembrance. Kenneth Silverman (HarperCollins, 1991).

The best modern biography on Poe, despite its insistence on pathologiz-ing his life. Silverman's contextual detail is excellent; he takes pains, for instance, to dig up just what Poe's daily routine in the Army would have been. When the psychoanalysis is given a rest, Silverman can be a fine and subtle interpreter of Poe's work.

Edgar Allan Poe: His Life and Legacy. Jeffrey Meyers (Charles Scribner's Sons, 1992).

Meyer's mid-length biography is well-rounded and approachable. Some of his assertions are stated with more certainty than the sources warrant; still, for readers looking to deepen their interest in Poe, his work is a good next step.

致谢

没有我儿子布拉姆威尔和摩根的启发，我所有著作都不可能诞生，没有我妻子詹尼弗的爱也一样，她是我所有文字的第一个读者。

在我投入于1840年代的报刊故纸堆时，是马克·托马斯为我英勇地镇守城堡。我还要多谢我的经纪人米歇尔·泰斯勒和我的编辑詹姆斯·阿特拉斯——并向埃德·帕克脱帽致谢，感谢他的推动支持。

我要向诸多图书馆表示谢忱，包括波特兰州立大学图书馆、纽约公共图书馆和国会图书馆。我还要特别感谢巴尔的摩埃德加·爱伦·坡学会（eapoe. org），他们致力于将坡的学术研究放到网上，其卓越贡献令该网站成为读者的一个无价宝库。

著译者

作者｜ 保罗·科林斯 PAUL COLLINS

保罗·科林斯是专业从事历史、回忆录和另类复古文学作家，一位专事挖掘冷僻古怪旧书的"文学侦探"。9部著作已被译成11种语言，包括《六便士的房子》（2003年）和《世纪谋杀》（2011年）。他作为自由撰稿人为《纽约客》《石板》和《新科学家》等杂志撰稿。科林斯现居俄勒冈，任波特兰州立大学英语系主任。

译者｜ 王青松

王青松，安徽巢湖人，文学博士，上海师范大学副教授，上海市作协会员、上海翻译家协会会员，主要从事美国文学研究，主要译作有"海盗鼠寻亲历险记"系列小说、《傻瓜的投资组合》、《古道》等。

图书在版编目（CIP）数据

爱伦·坡:有一种发烧叫活着/(美) 保罗·科林斯著；王青松译.

-- 上海：上海文艺出版社,2020.2 (2020.6重印)

(小文艺口袋文库.知人系列)

ISBN 978-7-5321-7195-8

Ⅰ.①爱… Ⅱ.①保… ②王… Ⅲ.①坡(Poe,Edgar Allan 1809-1849)—传记

Ⅳ.①K837.125.6

中国版本图书馆CIP数据核字 (2019)第242521号

著作权合同登记图字：09-2017-265号

发 行 人：陈 徵

责任编辑：张 翔

装帧设计：Studio Pills

书　　名：爱伦·坡:有一种发烧叫活着

作　　者：(美) 保罗·科林斯

译　　者：王青松

出　　版：上海世纪出版集团　　上海文艺出版社

地　　址：上海绍兴路7号　200020

发　　行：上海文艺出版社发行中心发行

　　　　　上海市绍兴路50号　200020　www.ewen.co

印　　刷：山东临沂新华印刷物流集团

开　　本：760×1000　1/32

印　　张：5

插　　页：3

字　　数：77,000

印　　次：2020年2月第1版　2020年6月第2次印刷

I S B N：978-7-5321-7195-8/K.397

定　　价：25.00元

告 读 者：如发现本书有质量问题请与印刷厂质量科联系　T:0539-2925888